일상을 잘 살아낸 이야기, 우리는 그것을 '기적'이라 부른다

지금의 나를 있게 해준 것들

경수경 김경아 김미경 김연정 김영주 김지혜 김태은
박건희 박주란 백미정 손경민 송지은 안영선 윤미경
윤선희 이성화 전숙향 전은숙 진수민 최덕분 홍효정

대|경|북|스

지금의 나를 있게 해 준 것들

1판 1쇄 인쇄 2023년 3월 10일
1판 1쇄 발행 2023년 3월 15일

발행인 김영대
편집디자인 임나영
펴낸 곳 대경북스
등록번호 제 1-1003호
주소 서울시 강동구 천중로42길 45(길동 379-15) 2F
전화 (02)485-1988, 485-2586~87
팩스 (02)485-1488
홈페이지 http://www.dkbooks.co.kr
e-mail dkbooks@chol.com

ISBN 978-89-5676-947-9

※ 잘못된 책은 구입하신 서점에서 바꾸어 드립니다.

※ 책값은 뒤표지에 있습니다.

머리말

이것을 우리는 '기적'이라 한다

'나의 존재는 타인들의 합'이라고 했던가.

오롯이 나만의 것이라고 할 수 있는 또는 처음부터 내 것이라고 할 수 있는 게 무엇이 있을까 싶다. 이는, 당당하게 소유권을 주장할 수 없는 슬픔의 영역일까 아니면 또 다른 나를 발견할 수 있는 설렘의 영역일까.

선택은 두 번 째로 하고 본질을 우선시해서 진실을 말하자면, '지금 나는 존재하고 있다'는 것이다. 그리고 나를 구성하고 있는 요소는 의외로 많다. 방어기제와 생존전략인 성격, 생각과 감정이 머무는 공간이나 위치인 마음마저도 나의 일부분일 뿐, 지금의 나라고는 할 수 없다.

나는 누구인가.

외롭고 바다 같고 블랙홀 같고 죽을 때까지 나를 따라다닐 질문. 끊임없이 되새길 수밖에 없는 이 질문에 설사 답을 찾지 못한다 할지라도 결국 우리네 삶은 정체성을 찾아가는 과정이다.

가슴 뛰는 일을 만나게 될 때, 눈물이 멈추지 않을 때, 하루 종일 자고 싶을 때, 저 인간과는 끝이다 싶을 때, 등에 날개가 솟아 하늘을 날 것 같을 때, 우리는 질문하게 될 것이다.

나는 누구냐고.

지금의 나를 있게 한 것은 무엇이냐고.

이 질문을 다섯 가지 주제로 나누어 보았다.

1장. 존재를 쓰는 방법 : 감사

자신에게 고마워하는 글을 써 본 적이 있는가?

다른 사람의 어깨를 토닥여 주는 만큼 자신을 응원해 준 적이 있는가?

잘 살아 온, 잘 살아갈 자신을 믿어준 적이 있는가?

감사는 성공한 사람들이 가지고 있는 마인드다. 지금보다 10배 더 성공할 그대여! 그대 자신에게 먼저 감사하자. 지금의 나에게 감사하자.

2장. 우리에게 말 걸기 : 글쓰기

글쓰기는 승패를 가리는 영역이 아니다. 글을 잘 썼네 못 썼네 저울질할 수 있는 기준이 이 세상에 존재하지 않을뿐더러, '지금 잘 썼다' 생각한 글을 3개월 뒤 다시 읽어 봤을 때 '못 썼다' 카테고리 안에 넣어버릴 확률이 99.9퍼센트이기 때문이다. 완벽한 인생이 존재할 수 없듯 완벽한 글 또한 있을 수 없다. 글을 써 보고 글을 고쳐 본 사람들이라면 쉬이 이해할 수 있을 것이다.

글은 나를 보여주는 제2의 영혼이다. 내 영혼을 때려가며 전진만이 살길이라 하면 안 된다. 영혼이 잘 따라오고 있는지 가던 길을 멈추고 기다려 주는 인디언들처럼, 우리는 글쓰기를 통해 내 영혼에게 말 걸어주어야 한다.

잘 살아와 주어 대견해.
이제야 찾아와서 미안하고.
앞으로는 친하게 지내고 싶어.
그래서 글쓰기를 선택한 거야.
내 영혼아, 어때?

3장. 내 그대를 생각함이 : 엄마

보편적이면서도 정의내리기 힘들다.

언제 행복했고 언제 꼭지가 돌았는지 희로애락 감정의 구분을 명확히 보여 준다.

100명 중 99명은 눈물을 흘린다.

모든 사람을 '공감'이라는 단어로 묶어 준다.

공저 때마다 엄마에 대해 글을 쓰는 이유다.

지금의 나는 엄마의 존재와 연결된다.

4장. 인생의 좌표 : 태도

태도가 실력이다, 기분이 태도가 되지 않도록 하라, 모든 것은 태도가 기본이다 등 태도가 중요하다는 이야기는 시대의 흐름과 상관없이 불변의 진리다. 같은 주제로 글을 쓰더라도 천 명의 작가가 있으면 천 가지 글이 탄생하듯, 태도 역시 사람마다 가치의 경중이 다르고 상황과 마음 상태에 따라 다르게 받아들여진다.

내가 추구하고 있는 태도는 무엇인지 정기적으로 마음을 점검해 보자. 나의 태도는 한 사람을 바꿀 수 있고, 각자가 추구하는 태도가 연결되고 연결되면 세계를 바꿀 수 있다. 그러므로 나의 모든 것이 될 수 있는 태도를 되돌아보아야 한다. 글쓰기와 함께, 지금의 나와 함께.

5장. 아낌없이 주는 나무가 되어 : 사명

꿈 또는 희망이라 말하기에는 비장하고 눈에 훤히 보이는 섬세한 단어, 사명.

'하고 싶다'는 막연한 바람이 아니라 '해야만 한다'는 책임감이 포함 되어 있기 때문일 것이다. 내가 반드시 완수해야 할 사명이 있다는 사실을 거슬러 올라가 보면, 내 생각과 감정을 가만히 두지 않는 영역이 있었다는 뜻이다. 시간 가는 줄 모르고 몰입했거나 이득을 따지지 않고 나도 모르게 몸과 마음을 움직이게 되는, 본능과도 같은 것.

즉, 사명을 이루기 위해서는 그것이 무엇이든 내 속에 이미 가지고 있었음을 전제한다. 처음엔 꿈이었을 수도 있다. 희망 사항이었을 수도 있다. 하지만 이젠, 누가 시켜서 하는 것도 아니고 누가 말린다고 안 할 것도 아닌 사명으로 진화한 것이다.

신께서 우리를 지구에 보내신 목적, 사명을 통해 아낌없이 주는 나무로 살아가는 사람이 되라는 것이다. 그러니 깔려진 판 위에서 원 없이 멋지게 살아보자! 우리는 사명자다.

'지금의 나'를 발견할 수 있기 위한 첫 번째 조건,
잘 살아내야 한다.
잘 살아낸 일상 속에서 찾아낸 단어 하나하나를 열쇠 삼아
내 삶을 글로 풀어내는 행위,
이것을 우리는 '기적'이라 한다.
지금의 나를 있게 해 준 일상의 이야기,
이것을 우리는 '기적'이라 하는 것이다.

백미정

차 례

1장. 존재를 쓰는 방법 : 감사

2장. 우리에게 말 걸기 : 글쓰기

3장. 내 그대를 생각함이 : 엄마

4장. 인생의 좌표 : 태도

5장. 아낌없이 주는 나무가 되어 : 사명

1장

존재를 쓰는 방법 : 감사

1장. 존재를 쓰는 방법 : 감사

아래 단어들은 여러분이 가지고 있는 많은 가치들 중 일부를 소개해 놓은 것입니다.
지금 눈에 띄는 가치 단어 3가지를 선택해 주세요.

건강.	휴식.	기쁨.	교감.	즐거움.	평온.	격려.	경청.	끈기.
나눔.	배려.	수용.	사랑.	진정성.	신뢰.	존중.	긍정.	용기.
책임.	친절.	협업.	배움.	창의성.	지혜.	통찰.	감사.	몰입.
호기심.								

선택한 3가지 가치 단어 중,
마지막으로 남기고 싶은 1가지를 선택해 주세요.

여러분의 마음에 들어 온 가치 단어를 30초 간 바라봐 주세요.
어떤 생각이 드시나요?

나와 함께해 주고 있는 가치 단어에게 감사한 마음을 3줄 편지 쓰기로 표현해 볼까요?
(예 : 몰입아, 내가 좋아하는 책을 읽고 글을 쓸 수 있도록 함께해 주어 고마워. 네가 아니었다면 지금의 나는 없었을 거야. 나의 글도 너에게 고마워하고 있어. 앞으로도 친하게 지내자.)

이제,
내가 선택한 가치 단어와 함께,
존재 자체만으로도 고마운 나에게 편지 쓰기를 한
21가지 마음을 읽어볼 차례입니다.
있는 그대로의 나를 존중해 주고 나에게 고마워할 수 있다는 것,
참 근사하죠?

01_

'고마워' 말 한마디를 전하는 너

최덕분

'고마워' 말 한마디로 의미 있는 삶의 변화를 돕고 있는 덕분아.

그동안 수고하고 애쓴 너의 이름을 부르며 편지를 쓰려니, 왠지 마음이 뭉클한 건 뭘까? '고마워 디자이너'로 다양한 사람을 만나면서 아낌없는 배움의 나눔을 하곤 했었지.

너의 시간과 경험을 정성으로 나누며 참으로 애쓰고 있는 네가 보이는구나. 어느 비 오는 날에, 차를 운전하며 정처 없이 빙글빙글 돌고 있는 너의 모습. 센트럴파크에 주차해놓고 차창에 내리는 빗방울을 바라보며 하염없이 눈물을 흘렸지.

'왜 나는 힘들기만 할까? 매일 변화 없는 삶을 사는 걸까?'
'잘하고 싶은데, 왜 마음처럼 되지 않을까?'
고민하며 힘든 마음을 쏟아냈지.

지금도 힘듦은 있지만, 배움과 독서, 감사일기로 내면을 훈련하고 있는 모습 대견하구나! 매 순간 얻어진 깨달음을 실행하며 점점 너는 의미 있는 삶의 변화를 이끌어갔지. 때로는 작아진 너를 보면서도 있는 모습 그대로 '나는 나에게 고마운 사람'이라고 말하며. 만나는 사람에게도 "고맙습니다. 사랑합니다. 덕분입니다. 행복합니다."라고 고사덕행을 외쳤던 너.

'고마워' 말 한마디로 희망을 건네준 너는 참으로 대견하고 멋지구나!

마지막 순간까지도 나의 희망이 되어줄 덕분아.

지금 살아 숨 쉬며 존재하는 것만으로도 충분히 너에게 고마워.

온갖 시련에도 푸르름을 고이 간직하며 꿋꿋하게 우뚝 서 있는 소나무처럼, 어떤 상황에서도 고마움을 간직하며 의미 있는 삶의 변화를 꿋꿋하게 돕는 너에게 고백한다.

고디(고마워 디자이너)로 살아가는 너에게 언제나 응원해줄게.

이 세상에서 가장 소중하고 고마운 덕분에게

2022년 11월 19일 토요일

고디 덕분이가

나는 나에게 고마운 사람.

나는 나의 존재에 대해
얼마나 고마움을 느끼고 있나요?
살아 숨 쉬는 것만으로도
나는 나에게 충분히 고마운 사람.

서툴면 서툰 대로
부족하면 부족한 대로
있는 모습 그대로
나에게 '고마워' 말 한마디 건네주세요.

고마워, 고마워, 고마워.
나는 나에게 고마운 사람.
나는 나에게 충분히 소중한 사람.

화분 속에서만 살 줄 알았어

진수민

주변을 밝혀주는 편안한 사람, 수민이에게

수민아, 이렇게 네 이름을 부르니 참 반갑다.

예전엔 너에게 자주 편지를 썼는데 오랫동안 너를 못 챙긴 것 같아 미안해. '화분에 물을 준 적이 언제였지?'하고 깜짝 놀라 화분을 돌볼 때의 마음 같아.

수민아, 요즘 네 마음은 어때? 너는 무얼 실현하고 싶어 하는 걸까? 어떤 희망을 품고 살아가고 있는 걸까?

"엄마는 꿈이 뭐야?"

여섯 살 큰아이가 물었을 때, 너는 뒤통수를 세게 맞은 듯 충격을 받았지.

아이의 물음에 바로 답을 할 수 없었어. 당시 삶의 주인공은 자신이 아니었던 거야. 아이들의 삶에 몰두하고 있는 너를 발견했지. 그 충격은 너를 배움으로 이끌었어. 그리고 결심했지.

"내가 뭘 하고 싶은지는 아무리 생각해도 모르겠지만 이제 막 내 꿈이 생겼어. '꿈 만들기'가 바로 나의 꿈이야."

그렇게 몇 년이 흘렀어. 자 이제 말해봐. 지금의 넌 어때?

'모르겠어'라는 말을 달고 살던 네가 지금은 무언가 도전할 생각에 눈이 초롱초롱하구나. 지치고 힘들어도 금방 회복하는구나. 꿈꾸는 너의 표정이 참 좋아. 사랑스러워.

내 인생의 주인공, 수민아.

너는 주인공이지만 네 무대의 모든 것을 빛나게 해주는 감초 역할까지 잘해주고 있어. 그런 능력은 아무나 있는 게 아니야. 넌 참 대단해. 네 무대에 함께 오를 사람들이 너와 함께 웃어줄 거야.

잘 기억해. 너는 네 삶의 주인공이야. 누구보다 빛나고 아름다운 사람. 네 존재에게 고마워.

집에 키우던 작은 화분이라고만 너를 생각했지? 너는 어느덧 새 흙에 뿌리를 내리고 더 크고 아름다운 나무가 될 거야. 너의 그늘은 누군가에게 쉼을 줄 거야. 너는 자연 속에서 크게 숨 쉬고 두 팔을 벌려 세상을 맞이할 거야.

그래, 너는 아주 큰 존재야. 사랑해 수민아. 그 누구보다 가장 뜨겁게 사랑해.

2022년 11월 19일 토요일

너의 빅 팬, 수민이가

아름드리나무의 꿈

작은 화분 속 식물,
나는 꿈을 꿔.
나도 큰 숲이 될 수 있을까?

나비가 날아와서 말해.
"눈을 떠."
향기로운 꽃 냄새가 아찔하게 나.
여긴 어디지?
나비가 다정하게 말해.
"바로 네 자리. 숲이야."

햇빛이 드는 하얀 거실
물과 사랑이 없어 시들시들 죽어가는
화분 속 식물,
나는 꿈을 꿔.

큰 팔을 쭈욱 펼쳐 기지개하지.
나는 아름드리나무.
나는 숲을 이룰 거야.

03_

성찰, 성화

이성화

성화야,

너에게 쓰는 편지, 참 오랜만이다. 이름을 부르며 써보는 건 처음인 것 같아. 친한 친구와 싸워서 화해할 때처럼 어색하고 낯설기도 하다. 그래도 나를 생각하는 지금, 남자친구를 기다리는 여인처럼 살짝 설레고 스멀스멀 웃음이 나오네.

성화는 자신의 잘못된 부분을 고쳐야 한다는 생각을 많이 하지. 일기장은 온통 고해성사였어. 나의 일기를 읽어 본 작은 언니는 글을 잘 쓴다고 했어. 어떤 사람들은 보기보다 생각이 깊다고도 했지.

등교하기 전 7남매가 부모님께 용돈을 받아 가는데 난 미안해서 그냥 학교를 가는 날이 많았어. 일기장 사는 돈을 아끼려고 언니가 썼던 일기를 지우고 그 위에 내 일기를 쓰기도 했지. 자책과 후회를 하며 다음엔 그러지 말자고 다짐하는 내용이 대부분이었어. 덕분에 나를 돌아보며 살아온 세월만큼 긍정적으로 남을 이해하며 사는 부분도 많아진 것 같아.

살다 보면, 좋았을 때보다 안 좋았을 때를 더 많이 기억하는 경향이 있지.

그래도 잘 참고 이겨내며 아름다운 미래를 만들어가는 성화야!

함께 있어 주어 고마워.

온전히 나를 이해하고 받아주는 존재가 있어 행복하다.

죽마고우처럼 허물을 다 알고 있지만 덮어주는 친구가 되어줘서 고마워. 언제나 그렇게 나를 바라봐줄 거지?

산 넘고 물 건너 여기까지 왔으니 조금만 더 힘내서 가보자.

어디로 튈지 모르는 앞날에 네가 있어 든든하고 고마워.

힘들어도 힘들지 않아도 잘 살아갈 성화에게

2022년 11월 20일 일요일

성화가

해 질 녘 시골 부뚜막에서 피어오르는 연기 같은 감사

일랑일랑처럼 부드럽고 은은한 향이 나는 감사

알밥을 먹을 때처럼 톡톡 터지는 감사

04_

우리가 바다를 만나면

윤선희

"늦었다고 생각될 때가 바로 시작할 때입니다."

"아무것도 하지 않고 무언가를 이루기를 바라면 정신병 초기증세이다."

살면서 들었던 좋은 글귀들 중에 가장 기억에 남는 말이야. '아, 내가 나를 힘들게 하고 있었구나. 무엇이든 시작해 보자!'라는 결심을 하게 되었으니까.

아무것도 하지 못하고 머물러 있던 선희야! 이제 변화하고 있구나. 비록 그 변화가 '아이'로 인해 시작되었지만 이제 너는 알거야. 그 '아이'를 위해선 '내'가 먼저 서야 한다는 것을. 이제 두 발을 딛고 섰으니 걸어도 보고 뛰어도 보자. 주저앉고 싶은 순간이 또 찾아 올 거야. 그럴 때는 잠시 쉬어 가고, 옆에서 함께 가는 사람에게 도와달라고 하고, 때론 업어달라고 떼도 써보며 나아가자! 너의 생각과 다르게 나아가도 괜찮아. 너는 지금을 잘 살아내고 있으니까.

미워하고 싶은 순간도 있었지만 가장 사랑하는 선희야! 포기하지 않고 여기까지 와줘서 고마워. 물에서 걷고 있는 거북이처럼 느려도 괜찮아. 지금처럼 '희망'을 품고 앞으로 나아가자. 내가 너의 가장 든든한 동반자가 되어줄게. 우리가 바다를 만나면 멋지게 헤엄쳐 나아갈 수 있어!

오늘도 '글쓰기'라는 도전을 하고 있는 선희야! 나는 니가 정말 자랑스러워. 너도 더 자신감을 가지고, 자신을 사랑하고 아끼며 살아가자.

앞으로 더 멋진 삶을 살게 될 나의 영혼, 선희야. 또 만나자!

2022년 11월 20일 밤에

사람이 얼마나 행복한가는 그의 감사의 깊이에 달려있다.

- 죤 밀러 -

05_

나의 또 다른 이름, 너

송지은

햇살 같은 웃음으로 행복을 전하는 지은이에게

지은아, 잘 잤어?

주말 새벽, 오랜만에 너에게 말하듯이 편지를 쓰니 왠지 울컥한 마음이 들어. 3주 만인가보다. 2년 3개월 동안 매주 쉬지 않고 주말마다 오디오방송을 녹음했는데 잠시 '너'로서 존재하고 싶어 방송을 멈추었지. 주말 새벽이면 나에게 또는 청취자들에게 전하고 싶은 편지를 쓰고 녹음하며 참 행복했었는데…. 좋아하는 일을 하며 사는 것이 진짜 행복인 줄 알았어. 그런데 '너'를 잊어가고 있었다는 것을 몰랐어. 미안해. 다시 '너'의 존재를 느낄 수 있게 해줘서 고마워. 오늘은 청취자가 아닌 '너'에게, 목소리가 아닌 '마음'으로 소통할 수 있어서 참 감사한 시간이야. 그동안 넌 어떻게 지냈니?

난 2년 전부터 매일 밤 감사 일기를 쓰고 있어. 평일 새벽 5시. 사람들과 함께 낭독하며 마음을 나누고, 깔깔거리거나 징징대는 아이들과 더불어 내 마음도 성장하는 중이야. 일상에 감사하며 살다보니 내일에 대한 두려움보다 오늘 하루를 편안함과 기쁨으로 즐길 수 있게 되었단다. 그러다보니, 어느 순간부터인가 모든 것이 소중하고 감사해서 내 마음도 사랑으로 채워지며 코끝이 찡해지곤 해.

'아, 따뜻해!'

버스 창가에 앉아 눈부신 햇살의 따뜻함을 느끼며 '나도 햇살 같은 사람이 되고 싶어.'라고 생각한 지 어느덧 15년이 지났어.

"샘이랑 통화하면 같이 즐거워져요."

'지은 쌤, 오늘 아침 함께했던 시간에서 얼마나 큰 충만함을 느꼈는지 지은 쌤이 고맙더라고요. 지은 쌤은 자신이 한 일을 한 것뿐이라고 말씀하겠지만, 그 자리를 진심과 열심을 다해 지켜주고 계시기 때문에 제가 지금의 감사를 깨달을 수 있었던 것 같아요.'라는 지인들의 말과 문자를 접할 때마다 얼마나 기쁜지 몰라.

햇살 같은 사람이 되고 싶었는데 나도 모르게 그런 사람에 가까워지고 있었던 것일까? 이제 깨달았어. 햇살 같은 사람은 그 자리에서 자신의 책임을 다하는 사람이라는 것을 말이야.

"넌 너밖에 몰라!"

어릴 때 언니에게 이런 말을 들었지. 모난 나의 감정을 숨기려 했지만, 결정적인 순간엔 이성적으로 차가워지는 판단과 말투에 마음 여린 언니는 상처받곤 했어. 동생을 누구보다 아껴주던 언니였지만 감성이 풍부한 언니와는 자주 부딪힐 수밖에 없었단다. 하지만 그 덕분에 언니와 다툴 때면 나의 말과 행동이 어디에서 비롯된 것인지 마음을 들여다보게 되었어. 그래서일까? 나의 마음도, 상대방의 마음도 같이 생각해보는 게 몸에 베이더라.

같은 환경이라도 어떤 선택을 하느냐에 따라 삶의 방향이 달라지기도 해. 육아 휴직과 코로나19로 집에 고립될 수도 있었던 시간인데 온라인으로 많은 사람을 만나게 되었어. 사람들과 서로 응원해주며 같이 성장하고 싶어서 행복한 동행 모임을 만들었고, 나뿐만 아니라 다른 사람들과 함께 몸과 마음을 건강하게 가꾸고 싶어서 '러브미 독서모임'도 운영했어. 그 시간이 쌓여 '나'밖에 몰랐던 삶의 초점이 '우리'로 옮겨간 것 같아.

나를 사랑하는 마음으로 타인에게도 따뜻함과 즐거움을 전할 수 있어서 감사한 시간들이야. 차갑게 얼어버린 우리의 구석진 마음도 사르르 녹일 수 있는 따뜻하고 눈부신 햇살 같은 사람으로 앞으로도 그렇게 살고 싶어.

나의 또 다른 이름인,

너.

'너'로서 존재하고 있을 때 깊은 곳에서 뜨거움이 올라오고 입술은 행복을 받아내는 그릇을 만들어내곤 해. 그래서 항상 '너'를 지켜주고 싶어. 어느 순간 남들과 비교하게 되고 나도 모르게 '너'를 잊는 경우도 생기지만, 항상 '너'를 기억하며 살 수 있도록 나를 깨어있게 도와주는 '감사'로 살아갈게. '너'가 '여기 있음'을 알려주려고 노크해줘서 고맙고 사랑해.

있는 그대로 사랑스럽고 온전한 '너'에게

2022년 11월 19일 토요일.

'너'와 함께 할 수 있어 행복한 지은이가.

단단한 땅에서 초록을 뽐내며 솟아난 새싹처럼 기쁨을 주는 감사
깊숙이 뿌리내리며 짙어가는 푸르름으로 마음까지 충만해지는 감사
하늘하늘 지켜주고 싶어지는 코스모스 같은 감사
눈처럼 얼어버린 마음을 아이스크림 같은 달달함으로 바꿔주는 감사

세상에서 가장 행복한 사람은

감사하며 사는 사람이다.

- 탈무드 -

06_

너를 던져 찬란함으로

김 연 정

밤하늘의 은하수처럼 빛나는 너에게.

연정아, 안녕?

사랑하는 너에게 진심을 담아 편지를 써.

요즈음 어때?

쪽잠 자며 일과 육아를 거뜬히 해 나가는, 타인의 시선으로 봤을 때 이렇게까지 할 필요가 있나 싶을 정도로 전투적으로 살아내는 너의 마음을 알아.

맡은 일들에 성실하고자 진심을 담아 의미를 부여하려는 너의 마음은…. 안녕하니?

직접 네 이름을 부르며 편지를 쓰려니 소풍 가기 전날 밤, 잠 못 들던 그때가 생각나. 설레고 들뜬 마음에 어떤 일들이 생길까 물음표를 던지다가, 한편으로 비 걱정을 하는, 너무 많은 생각을 담아낸 너의 마음 주머니가 빵! 터져 버리는 건 아닐까, 걱정이 되기도 했지. 지금도 그래.

이제 우리, 어떤 일들은 그냥 스쳐 지나치기도 하자.

너무 마음에 담아두지 말자.

지금을 열심히 살아내려 애쓰고 수고하는, 열정과 사명을 태우는 너의 날들을 사랑해.

"연정아, 놀자!"

담장 밖에서 친구들이 부를 때 하던 숙제도 내팽겨 치고 신발을 신는 둥 마는 둥 달려 나가는 것처럼, 요즘 너를 보면 딱 그런 기분이야. 또 무슨 행복이 머무를까, 또 어떤 기쁨이 곁에 다가올까, 나누고 함께하고 싶은 그런 마음들 말이야. 그 순전한 마음이 전달되기를 바라.

행복에 우선순위를 두고 즐겁고 기쁨 있는 일에 몰두하며 지내자.

실패라 여겼던 시간조차 성장을 위한 과정이었다고 말할 수 있는 너의 변화를 사랑하며 너의 존재 자체를 사랑하고, 너의 그 모든 선택들을 인정하면서 그렇게 지내자.

밤하늘의 별처럼 수많은 가능성 안에 너를 던져 찬란함으로 빛을 받아내. 그 안에 너의 꿈과 사랑, 모든 동심이 고이 간직된 채 빛나고 있을 테니.

늘 응원하고 있어.

늘 함께 할게.

2022년 11월 21일

사랑하는 너를 향해 기쁨을 감추지 못하는 내가.

아침에 일어날 때마다

그 날 해야 할 일이 있음에 감사하라.

- 킹슬리 -

앞으로의 배움은 말이야

전은숙

있는 그대로의 나를 사랑하려고 노력하는 은숙이에게

오늘도 새벽잠의 유혹을 떨쳐내며 책상 앞에 앉아 있는 너의 책임감과 도전이 대견하기도 하고 무얼 저리도 애쓰고 사나 싶어서 안쓰럽기도 하다.

첫 아이를 낳고 병원에서 나와 첫 밤을 함께 하는 날, 아이의 호흡이 얼마나 빠르던지…. 신생아들은 원래 그런 건지 아니면 내 아이만 그런 건지 두려워하던 그때부터 나한테 모른다는 것은 '두려움'이고 '뒤처짐'이었던 것 같다. 그때 이후로 두려움에 얼어붙지 않고 어떻게 하면 뒤처지지 않을까를 고민하며 책으로 강의로 배우기를 선택하고 노력해서 20년 전보다 두려움의 크기를 줄이고 성장해있는 나를 칭찬하고 축하한다.

은숙아, 행복도 감사도 저절로 이루어지는 것이 아니라 오랜 시간 꾸준히 노력해야 한다는 것을 알아차리고 실천한 덕분에 남편이 가장 친한 친구가 되어 있는 것을 축하해. 그리고 아이들이 자라는 동안 햇빛도 되어주고 그늘도 되어준 부모였던 것에 깊이 감사하며, 앞으로의 배움은 나를 더 사랑하고 인정하며 주변 사람들을 격려하고 돕는 것으로 채워보자.

열심 내어 사느라 수고했고

날마다 행복과 감사로 사는 은숙이에게

2022년 11월 19일 토요일

은숙이가

우리가 가진 것 때문에 감사하는 것이 아니요,

우리가 되어진 바로 인해 감사한다.

- 헬렌 켈러 -

이젠 조금씩, 늘 조금씩

손경민

있는 그대로 꽤 괜찮은 경민에게

초보 엄마가 아이에게 마음만큼 사랑을 주지 못한 때를 후회하듯, 나 또한 같은 마음으로 너에게 편지를 쓴다.

'이것까지만 하고 쉬자.'

'기회는 다시 오지 않아.'

'이런 걸로 힘들다고 하지 않는 거야.'

내가 너에게 가장 많이 했던 말이야.

왜 나는 있는 그대로의 모습을 사랑하지 못한 것일까?

주말에도 쉴 새 없이 일하는 나를 보며 딸은 말했어.

"엄마, 좀 쉬어야 하지 않아?"

"응, 근데 물 들어올 때 노 저어야 하지 않겠어?"

딸이 엄마 걱정해 주는 것 같아 내심 뿌듯해 하는 찰나, 딸은 말했어.

"근데 엄마. 물은 계속 들어올 텐데 힘 조절을 좀 해야 하지 않을까?"

이 말은 잔잔한 호수에 돌을 던져 파장을 일으키듯 내 안에 숨겨진 불안과 두려움을 마주 보게 했어.

'부족한 나를 알아채고 미워하지 않을까?'

'아무도 나를 찾지 않으면 어쩌지?'

내 머릿속을 가득 채우고 있던 부정적인 생각들이 하루하루를 채워가고 있었다는 사실을 인정할 수밖에 없었어. 나는 늘 앞장서서 달려가며 어서 오라고 재촉할 뿐, 뒤돌아 함께 길을 가겠다고 생각하지 못했던 것 같아. 재촉하는 마음 안에 나에 대한 분노를 가득 채우고 네가 원하는 것이라 착각했던 거야.

이젠 조금씩 너와의 간격을 좁혀가 볼까 해.

어떤 상황이든 네가 상처받지는 않았는지 먼저 살펴볼 거야.

그리고 부족한 것을 그대로 드러내고 사람들에게 도움을 구할 거야.

협력하고 성찰하며 앞으로 나아갈 거야.

늘 조금씩 나아지는 너라서 고맙다.

아무리 큰 소음과 위협에도 달려가 너에게 가장 큰 힘이 될게.

사랑한다,

경민아.

사랑을 가득 품은 눈으로 나를 바라보는 강아지처럼
겨울철 시린 무 냄새처럼
햇빛을 가득 머금고 빛나는 바다처럼
감사는 늘 내 곁에 있었다.
감사는 그러했다.

09_

가장 빛나지 않아도 한결같이

김 경 아

시작한 일은 끝까지 해내는 경아에게

한 걸음 앞으로 나아가며 또 다른 인생을 걸어가고 있는 경아야, 안녕?

'햇빛처럼 세상을 빛나게 해 주라'고 지어 주신 너의 이름을 불러 본다.

오랜만에 이름을 부르니 어색해서 담장 사이에 수줍게 핀 민들레를 물끄러미 바라보며 짓는 웃음을 따라 해본다.

경아 너에게는 어떤 폭풍우를 만나도 쉽게 단념하지도 않고 부서지지도 이탈하지 않고 견디어 내는 끈기의 기운이 있는 것 같아.

"엄마, 나 이거 혼자 할 수 없어."

"경아는 할 수 있어."

"아니, 그래도 혼자서는 좀 어려운데…."

어떤 일을 혼자 해내는 것을 힘겨워하던 어린 시절이 지나고 네 안에 작은 욕망이 생겨날 때마다 무슨 일이든 시도하는 도전의식으로 거침없이 달려드는 경아야, 가끔은 감당하기 버거운 것들도 있었는데 너에게 있는 끈기로 완주해 가는 모습이 정말 기특하고 고맙단다. 끈기 있게 주어진 일들을 해나가는 너는 어두운 골목을 비추어주는 가로등 같아.

함께 할 수 있어 늘 고마운 경아야!

결실의 수확을 기다리며 탐스럽게 매달려 있는 사과처럼 너의 존재 가치가 높아지고 있어. 끈기 앞에는 이길 것이 없다는 생각으로 꾸준함을 보여 주고 있어 고마워.

밤하늘의 반짝반짝 빛나는 수많은 별 중, 가장 빛나지는 않아도 언제나 자기 자리를 지켜주는 별자리들처럼 우리의 자리를 한결같이 지켜가며 살아내어 보자.

존재만으로도 사랑해!

아무것도 하지 않아도 감사한 존재, 경아에게

2022년 11월 21일 월요일.

경아가

감사하는 마음은 다른 사람을 위해서가 아니라,
자신에게 평화를 가져다주는 행위이다.
그것은 벽에다 공을 치는 것처럼 언제나 자신에게 돌아온다.

- 이어령 -

10_

앙고라 털실 같은 포근한 너

홍효정

환하게 웃는 모습이 예쁜 효정이에게

효정아, 안녕!

너의 이름을 참 오랜만에 불러 보는구나.

어두운 방안에서 눈을 깜박거리며 몇 초간 적응하는 시간이 흐르고 나면 어둠속에서도 주변이 보이는 것처럼, 이름을 부르는 게 낯설지만 한편으로는 편안해진다.

효정이는 열정이 넘치는 모습을 가지고 있구나!

"너는 어떻게 여러 가지 일을 동시에 할 수가 있니? 진짜 에너지 가득이다."라는 이야기를 들은 적이 있었지.

뭐 하나 놓치고 싶지 않고 잘하고 싶었던 너의 열정 덕분에 늘 도전하고 배울 수 있었어. 너의 모습은 내가 봐도 참 대견해. 그리고 열심히 살았어.

외로움도 기쁨도 함께 해줄 효정아,

네가 있어 참 고맙고 좋다. 너라는 존재는 앙고라 털실로 짠 포근하고 부드러운 목도리처럼, 내 마음을 편안하게 만들어 준단다. 너의 열정과 편안함으로 너를 만나게 되는 사람들이 자신의 존재가 귀하다는 것을 스스로 깨달을 수 있도록 도와주렴. 그 재능들이 너를 더 좋은 곳으로 안내할거야.

잘해왔고 앞으로도 더 잘할 수 있을 거야.

지금처럼 너에게 감사하며 늘 응원할게.

2022년 11월 19일 토요일

효정이가

우리의 삶은 감사할 때 비로소 풍요로워 진다.

- 디트리히 본회퍼 -

11_

오로라 빛을 닮은 꿈과 삶

김영주

하루하루에 충실한 영주에게

안녕, 영주야? 처음으로 너에게 편지를 쓰네.

자신을 바라보며 손짓하는 예쁜 언니에게 가고 싶지만 어떻게 해야 할지 모르는 다섯 살 아이처럼, 어색하고 부끄러워 무슨 말을 해야 할지 모르겠어. 그런데 또 해 주고 싶은 말이 너무 많아서 설레기도 해.

너는 여전히 이루고 싶은 것이 많은 소녀같이 희망의 꿈을 꾸고 있구나! 어릴 적부터 '선생님'이 되고 싶다는 꿈을 늘 간직하며 살아온 너는 어른이 되어 회사에 취직하고서도 변함없이 그 꿈을 간직하고 있었지. 그렇게 꿈을 향해 한 걸음씩 나아가다가 정말 그 꿈을 이루었을 때 너는 외쳤어.

"심장이 터질 것 같아! 꿈은 이루어진다!"

하지만 거기서 멈추지 않고 너는 더 큰 꿈을 꾸며 여기까지 왔어. 나는 그것이 널 성장하게 만드는 '힘'이라고 생각해. 어렵고 힘겨운 시간을 지나면서도 하고자 하는 것을 포기하지 않고 그때마다 너는 너를 믿고 능력을 발휘하여 어려움들을 헤쳐 나갔잖아. 그것은 너의 '꿈'이 너에게 주는 '선물'이 아니었을까?

지금까지 열심히 달려온 너에게 "잘했고 잘하고 있고 잘할 거야!" 말해주고 싶어.

많은 문제 앞에서도 포기하지 않고 지금까지 잘 와줘서 정말 고마워. 모든 일에 열정 가득한 너를 보면 오로라의 그 빛처럼 신비하고 놀라울 따름이야. 하지만 그 열정이 지치지 않을 정도로 이제는 네가 좋아하는 것들도 즐기면서 그렇게 살아가자!

네가 있기에 나는 웃을 수 있고 네가 있기에 나는 슬픔을 알고 네가 있기에 나는 나눔을 배울 수 있었어. 너는 내 삶의 디자이너야! 앞으로도 나를 어떻게 만들어갈지 기대할게.

네가 하고 싶은 것, 이루고 싶은 그 꿈을 향해 성실히 달려가는 영주에게.

2022년 11월의 어느 날에

해 질 녘, 온 하늘을 형형색색으로 물들이는 노을 같은 감사
치열한 하루를 보내고 돌아온 집에서 느낄 수 있는 포근함 같은 감사
내 품에 폭 안긴 아이를 두 팔로 꽉 감싸 안은 것 같은 감사

12_

삶을 즐길 줄 아는 너

윤미경

밝은 미소가 아름다운 미경이에게

너의 이름을 부르며 이렇게 편지를 쓰니, 밤마다 사랑하는 연인을 애타게 기다리는 달맞이꽃처럼 설레고 기대하는 마음이 생겨.

너는 어때?

친구들과 옹기종기 모여 밤늦도록 소꿉놀이를 즐기던 유년기,

고무줄놀이와 구슬치기 등 가리지 않고 놀기를 좋아했던 아동기,

사람들의 이목이 부담스러워 존재감 없는 삶을 자처하며 책과 함께 동굴 속으로 숨어 책 읽는 즐거움에 빠져들었던 사춘기.

그 모든 순간 속에서 미경이는 삶의 즐거움을 소중하게 여겼지.

진지함이 본연의 모습인 줄 착각하며 틀에 갇혀 주변을 바라보기도 했어. 아이들에게 너의 기준과 틀로 규칙을 정해주며 통제했던 시절,

"주안아, 주찬아. 저녁 먹기 전에는 엄마가 들어오라고 했잖아."

"이 녀석들이 누굴 닮아 노는 것에 정신이 팔렸지?"

너는 넋두리를 하곤 했었지. 순간 너의 어린 시절이 스쳐 지나갔어. 즐

거움을 소중하게 생각하고 있었다는 것을 말이야. 우리 아이들은 나를 쏙 빼 닮아 있었던 거야.

남편과 아이들로부터 자유로워진 지금, 스포츠 댄스에 입문하여 음악에 맞춰 리듬을 타는 또 다른 즐거움에 푹 빠져 있는 너.

코로나 덕분에 zoom 속에서 지성의 힘을 경험하며 배움의 즐거움에 빠진 중년의 너.

수많은 파고를 경험했지만 그것들을 긍정의 에너지로 사용해서 잘 살아낸 네가 정말 대견하고 기특해!

장대를 좌우로 움직이면서
수평을 맞추며 중심을 잡는 외줄 타기 곡예사처럼
삶을 즐기며 중심을 잘 잡아가는 네가 참 좋다.

나의 영원한 친구이자 응원자인 미경아,
따스한 햇살처럼 밝게 빛날 앞으로의 너의 삶이 기대돼.
더디지만 도전하는 즐거움에 빠진 너에게 박수를 보내!

2022년 11월 20일 일요일

미경이가

세상에서 가장 강한 사람은 자기를 이기는 사람이고

가장 부유한 사람은 만족할 줄 아는 사람이며

가장 지혜로운 사람은 배우는 사람이고

가장 행복한 사람은 감사하며 사는 사람이다.

- 정지환《내 인생을 바꾸는 감사 레시피》-

다채롭기도 하고 눈부시기도 하고

김미경

미경아, 안녕?

너의 이름을 부르는데, 왠지 낯설고 짠하다.

네가 요즘 여러 가지 일을 시작하면서 몰입하는 게 대견하고 뿌듯해. '내가 무슨 영광을 얻겠다고 고생을 사서 하나?' 생각하면서도 깊은 밤 혼자 문제를 풀며 만족감이 차 오르기도 하고, "무슨 미대생이야?"라는 남편의 말을 들어가며 공식적으로 허락된 '색칠공부'도 하고 있잖아. 겉으로는 힘들다고 투덜대지만 '어릴 때 못해본 거 이제라도 하는구나!'라며 속으로는 신났지?

네가 너만의 시간을 오롯이 즐기고 있어서 좋아. 네 시간은 네 거잖아. 너를 위해 써도 돼. 무의미하게 흘려보내는 것처럼 보여도, 네 영혼과 마음이 쉬면서 충만해지고 있잖아.

언제나 나와 꼭 붙어있을 미경아.

지금까지 잘 버텨줘서 정말 고마워. 너는 속에 불꽃을 담고 있는 사람이야. 앞으로 튀어나가는 추진력도 있지. 그 열정과 힘으로 열심히 살아줘서 고마워. 그런데 이제는 인생의 짐을 혼자 다 진 것처럼 아등바등하지 않아도 돼. 힘들면 힘들다고 말하고, 울고 싶으면 울기도 하고, 기대고 싶으면 기대도 돼. 이제 쉬기도 하고 행복을 느껴보기도 하자. 깜깜한 숲속, 밤하늘에 쏟아지는 별을 보기도 하고, 해변가에 앉아 어둑어둑한 하늘이 황금빛으로 물들다가 보라색으로 채워지는 것도 보자. 인생은 이렇게 눈부시기도 하고 다채롭다는 것을 마음에 새기면서.

2022. 11. 20.

너를 더 알고 싶고, 더 사랑하고 싶은 미경이가.

햇빛 아래 잎사귀에서 살랑거리는 바람 같은 감사

입안에 달콤함이 확 퍼지는 귤 같은 감사

추운 밤 따뜻한 커피 같은 감사

이제는 찬란하게 떠올라

박주란

내면의 깊은 사랑을 품고 있는 주란이에게

주란아, 안녕?

분주한 시간을 보내느라 자주 만나지 못하지만, 그래도 매일 종알종알 수다를 떠는 친구처럼 언제나 반가운 마음으로 너를 마주하고 있어. 호기심으로 늘 그곳에서 나를 만나기를 바란 네가 참 고마워.

그때 그날의 순간을 기억하니?

'엄마가 행복했으면 좋겠어!' 다섯 살 어린 주란이가 초가집 부뚜막에 불을 지피고 있는 엄마를 보며 생각했던 순간 말이야. 그 꼬마의 눈에도 아홉 명의 가족을 챙기는 엄마의 하루하루가 아주 힘겨워 보였지. 그래서 그 아이는 엄마가 행복할 수 있는 삶을 선물하기로 마음먹었어. 그때부터 타인을 위한 삶이 인생의 목적이 되어버렸는지도 모르겠어.

그게 당연한 것이라 믿으며 살아온 많은 시간이 흘러, 타인을 향하던 시선이 나에게로 향하게 되었을 때 얼마나 어색하고 이상하고 힘겹던지.

'내가 나를 이렇게 챙겨도 괜찮은 거야? 내가 나를 이렇게 바라봐도 괜찮은 거야?'라는 생각에 어리둥절하면서도 뭉클함에 많은 눈물을 흘렸지. 그 뒤부터 나를 만나는 기회를 계속 가지려고 했어.

내가 좋아하는 것, 내가 잘하는 것, 내가 싫어하는 것, 내가 두려워하는 것, 내가 꿈꾸는 것, 내가 이루고 싶은 것들을 생각하며 나를 다시 만나주었지. 어린 아기에게는 모든 것이 신기하고 놀랍듯이 마흔을 넘긴 내가 그랬어.

그렇다고 마냥 좋기만 한 것은 아니었어. 아니, 사실은 아주 힘들었지. 인정하기도 어려웠어. 나 빼고 다른 사람들은 나를 더 잘 아는 듯 얘기하는데, 아무리 좋은 말을 해 주어도 내가 인정이 안 되는 거야.

'내가 생각해왔던 내가 '진짜 나'인 거라고! 당신들이 나를 어떻게 알아!' 하면서 꽥! 소리를 지르고 싶은 마음이었어. 그런데 있지. 어느 순간 꽁꽁 얼어붙은 빙산이 와르르 무너지듯이, 하염없이 흐르는 눈물 속에 정말 소중하고 존귀한 내가 보였어. 내가 태어나기 전부터 어느 것과도 비교할 수 없는 큰 사랑을 받아 왔고, 지금도 여전히 그런 사랑을 받는 나를 만난 거야.

그동안 얼마나 아둔하고 무감각했는지, 어쩜 그렇게 오랜 세월 동안 깊은 사랑을 듬뿍 받고도 느끼지 못할 수가 있었는지를 알게 되었어. 그리고 '이 사랑을 기억하고 기억하자. 되뇌고 되뇌자.'라고 마음먹었어.

그 깨달음이 얼마나 감사했는지 몰라. 내가 받은 사랑을 기억하니 내가 흘려보내야 할 사랑이 분명해진 거야. 그렇게 내 삶의 목적인 사명이 만들어진 순간, 기쁨은 말로 다 못할 것 같았어.

그렇게 나를 알아가고. 나의 존재에 대한 이유를 기억하려고 애쓴 너.

네가 처한 환경에서 열심히 살아내려고 애쓴 네가 정말 고마워.

그때도 애써주었고, 지금도 애쓰고 있는 너를 정말 사랑해.

이제는 평안히 나를 바라보고 안아주길 진심으로 바라.

깊은 내면에 품은 내 본래의 모습을 회복하길 바라.

내가 받은 큰 사랑을 기억하며, 너에게 그 사랑을 가득 채워 그것이 넘쳐흘러 가길 바라.

그리고 이제는 찬란하게 떠오르는 태양 빛처럼 환하게 너의 삶을 비추는 주란이로 살아가길 축복해.

태어난 그 순간부터 삶의 끝자락까지 큰 사랑을 받으며, 결국 승리함으로 기쁨을 감추지 못할 주란이를 기대하며.

2022년 11월 19일 토요일, 주란이가.

나에게 생명을 허락해주셔서 감사합니다.
살아가면서 내가 더 단단해질 수 있도록 적절한 어려움 주신 것 감사합니다.
나를 다시 새롭게 만나게 되는 기회 주신 것 감사합니다.
늘 내게 좋은 것 주시는 내 삶의 주인에게 감사합니다.
나의 시선이 닿는 어느 곳에나 '감사의 선물'이 자리하고 있으니 감사합니다.
귀한 인연들로 내 삶을 도우시니 감사합니다.
내가 짐작도 못할 큰 축복을 이미 준비해 두신 것 감사합니다.

오늘을 피우며

안영선

너의 자리를 작은 꽃으로 피워내고 있는 영선아!

네게 오랜만에 편지를 쓰네. 너를 생각하며 편지를 쓰는 이 시간이 봄날 양지에 앉아 햇볕을 받을 때처럼 따스하게 느껴져.

영선이는 삶의 자리에서 깨달음을 통해 의미를 건져 올리는 인생의 어부이기도 하지. 첫아이를 낳고 회복실에서 안정을 취할 때였어. 이가 달그락거릴 정도로 추위에 떨고 있는데 점점 의식이 흐려졌지. 하혈이 계속되고 있는지도 모른 채 말이야. 하늘의 별이 될 뻔한 그때 너의 이름을 뜨겁게 불러 준 남편이 있었기에 지금 우리가 함께 할 수 있는 거야. 눈물 콧물 범벅인 채로 남편은 감격해서 말했지.

"영선아, 살아줘서 고마워. 내가 잘할게." 잃어버린 엄마를 다시 찾은 어린아이처럼 남편은 너의 존재를 힘껏 안아주었어.

네 이름을 애타게 부른 한 사람의 사랑이 너를 창조하신 분에게 가 닿았기에 오늘의 네가 있는 것이지. 하지만 너의 삶이 아름다운 날들로만 채워진 것은 아니었어. 하기 싫은 일도 해야 했고, 수치심을 느낄 땐 땅으로 꺼져버리고 싶을 때도 있었지. 어둠의 시간을 버티고 견디며 지금까지 올 수 있었던 것은, 더 많이 사랑하며 살다 오라고 허락하신 덤의 시간임을 깨달았기 때문이지. 깨달음의 구슬 한 알 한 알이 꿰어진 너의 기도는 강물이 되어 필요한 이들에게 흘러가고 있어.

나를 위해 두 손 모으고 있을 영선아,
나를 향한 다정한 너의 언어들이 꼭 필요한 물처럼,
생명수가 되어주어 고마워.

여전히 남편을 사랑하고
세상 고마운 존재로 그의 옆에서 오늘을 피우고 있는 영선이에게
2022년 11월 21일 주일 영선이가.

감사는 고결한 영혼의 얼굴이다.
- 제퍼슨 -

너의 모든 날을 축복해

김지혜

슬기 지(智), 지혜 혜(慧).

슬기롭고 지혜로운 지혜에게.

지혜야! 너의 이름을 부르니 한 장면이 떠올라. 제 몸보다도 큰, 엉덩이까지 내려오는 책가방을 메고 설렘과 긴장감으로 떨고 있지만 반짝이는 두 눈으로 새로운 시작을 기대하던 여덟 살 아이 말이야.

지혜는 살아가는 동안 충분한 만족감과 기쁨을 느끼고 싶구나.

"엄마, 오늘 학교에서 뭘 만들었는지 알아?" 책가방을 뒤적여 결과물을 꺼내 조잘조잘 이야기를 나누고 싶었지만 그럴 수 없었던 작고 어린 지혜를 기억해.

내 아이에게는 같은 아픔을 주고 싶지 않다며 아내와 엄마로 사는 것을 선택한 너. 그렇게 살아온 10년은 너의 이름을 잃어버린 시간이 되어 사랑했던 이들을 미워하고 원망하게 만들었어. 고장 난 수도꼭지처럼 흐르는 눈물을 멈추지 못해 결국 가뭄에 메말라가는 논바닥처럼 너의 마음이 갈라지고 또 갈라졌지.

세상 사람들은 평안해 보이고 웃음이 끊이지 않았지만, 네 온 몸은 모든 불행을 불러오는 자석 같아서 내일이 오기를 바라지 않았던 때가 많았어. 지혜야, 그 아픔과 고통의 시간들을 이겨내 주어 감사해.

보잘것없는 번데기 시절엔 아름다운 나비가 되어 자유롭게 날아다니는 모습을 상상할 수 없지. 비온 후 하늘에 떠오른 영롱한 일곱 빛깔 무지개가 삶에 지친 사람들에게 찰나의 감탄을 선물해주듯 너의 삶도 아름다운 빛깔로 물들어 갈 거야.

너는 이전에도 그랬고, 지금도, 앞으로도 꽤 괜찮고 쓸 만한 사람이야. 다른 무엇보다 멀쩡히 숨을 쉬고 지금을 살아가고 있다는 것이 행복이란다.

행복은 멀리 있지 않다는 것을 알게 된 지혜야, 눈부시게 빛날 너의 모든 날을 축복해.

그 자리에 머무르기보다 한 발 한 발 나아가기로 선택한 지혜에게

2022. 11월을 살아가고 있는 지혜가.

언제나 감사하기가 관건이다.
감사하면 좋은 것들이 끌려온다.
몸에 밸 때까지 감사하기를 실천해보라.

- 론다 번《시크릿》-

한결같은 사랑이 강물이 되어

전숙향

숙향아.

네 이름을 불러볼 때마다 늘 생각나는 이름이 있었단다.

바로 고전에 나오는 '춘향'이야.

첫사랑의 정절을 고귀하게 지켜내고 결국엔 승리의 월계관을 쓰게 되는

고전 속 사랑의 상징.

빛바랜 흑백사진처럼 예스러움을 품고 있던 너는,

해도 달도 따다 줄 것 같은 남자친구에게 묻고 또 물었지.

"나를 정말 사랑해?", "얼마만큼 사랑해?"

속을 뒤집어 보여줄 수 없었던 답답함에 오죽했으면,

남자친구는 새끼손가락을 깨물어 혈서까지 썼었지.

'사. 랑. 해!' 붉은 글씨를 보는 순간,

너의 얼굴은 빨개져서 쥐구멍에라도 숨고 싶었지.

'아, 이건 아닌데, 어쩜 좋아!' 사랑이 무어라고 말이야.

그러나 네가 존재하는 이유가 사랑이라 믿으며,

너의 미래를 온통 '사랑' 하나에 내어 맡겼단다.

너의 사랑은

붉게 타는 저녁놀과 함께 겹겹이 물들어 갔었지.

숙향아.

사랑만 있으면 어떤 일도 이겨낼 수 있다던 네가 정말 소중했단다.
오로지 사랑밖에 붙잡을 것이 없었던 너였기에,
그 사랑에 책임지고 잘 살아와 준 네가 정말 대견하고 고맙구나.
지금 네 곁에 있는 모든 것이 사랑의 흔적임에 감사하고,
너의 선택이 틀리지 않았음을 깨닫게 해 준 네가 더욱 감사하단다.

너의 사랑은
바위틈에서 솟아난 청아한 샘물이었고,
한겨울 눈꽃을 이겨낸 버들강아지 같았지.
지금도 한결같은 네 마음을 응원할게.
오롯이 사랑으로 퐁퐁 솟던 옹달샘이
이제는 세상을 향해 나아가는 강물이 되었구나.
그 강물이 쉼 없이 흐르도록 마음껏 축복할게.

한결같은 마음을 품고 있는 숙향에게

2022년 11월 19일 토요일 새벽.

숙향이가.

가장 축복받는 사람이 되려면

가장 감사하는 사람이 돼라.

- C. 쿨리지 -

18_

버텨낼 미래의 너에게

김태은

글을 쓸 때 빛이 나는 멋진 태은이에게

태은아, 안녕?

너의 이름을 부르며 편지를 쓰려니 오글거리기도 하고 설레기도 해. 너는 어떠니? 학창 시절 친구들과 교환 편지를 써서 주고받기는 했지만, 너에게는 처음으로 편지를 쓰네.

난 아픔이 지난 후 오는 불안감을 이기기 위해 글을 쓰기도 하고, 가끔은 좋아하는 음악을 이어폰을 끼고 듣기도 해. 그러면 좋아하는 사람을 만나러 가는 것처럼 기분이 좋아져.

남편이 결혼축가로 한동준의 '너를 사랑해'를 불러주었어. 많은 하객 앞에서 너를 위해 용기를 내서 무반주로 축가를 불렀지. 그때 넌 행복했어. 낯을 가리고,나서는 걸 좋아하지 않는 남편의 성격을 알고 있었거든. 남편이 너를 위해 얼마나 큰 용기를 내어 주었는지, 아주 감동이었어.

새로운 무언가를 배우려고 할 때마다 '잘 할 수 있을까?' 두려움에 사로잡히는 나를 보고 남편이 말했어.

"자기는 무엇을 배울 때, 글을 쓸 때, 행복해 보이고 멋져 보여. 작가의 꿈을 포기하지 않고 끊임없이 노력하는 모습이 사랑스럽고 대견해. 나도 우리 가족을 위해 열심히 노력하면서 늘 응원할게."

부정적이던 너였는데 요즘은 새로운 것을 배우고, 배운 대로 행동하며 노력하는 모습이 대견스러워.

글도 쓰고 당당한 삶을 살 거라 믿을게. 가끔 힘든 날도, 아무것도 하기 싫은 날도 있을 거야. 그땐 잠시 휴식 시간을 가지고 글을 쓰렴. 잘할 수 있지?

오늘 하루도 고생한 너에게 고마워. 포기하지 않았던 어제의 너에게, 지치지 않았던 그저께의 너에게도 말이야.

그리고 앞으로 어떤 시련이 오더라도 버텨낼 미래의 너에게 미리 감사함을 전해 볼게. 고마워, 태은아.

감사는 영적 건강의 좌표다.

- 테메츠 -

19_

너의 엄마가 되고 싶어

박건희

늘 굳세어야 하는 건희에게

굳셀 '건'에 바랄 '희'자를 쓰는 건희야.

그동안 멀리 돌아오느라 고생 많았다. 지금도 고생이 많다. 나는 너의 엄마가 되고 싶다. 지금의 내가 5살이었던 너의 엄마가 되어주고 싶다. 외로웠던 너를 내가 다시 키우고 싶다. 나는 너를 집에 혼자 두지 않을 거야. 너를 속상하게 두지 않을 거야.

그리고 그 무엇이든 너와 함께하는 친구가 될 거야.

너에게 거짓말하지 않을 거야.

너를 닦달하지 않을 거야.

너를 다른 사람에게 맡기지 않을 거야.

너의 말을 귀 기울여 들어줄 거야.

네가 원하는 것을 들어주려고 노력할 거야.

너의 기분에 공감해 줄 거야.

너를 위해 그 무엇이든 최선을 다할 거야.

지금 네가 너희 아이들을 지키려고 노력하는 것처럼, 나는 너를 꼭 지켜줄게. 그러니까 얼굴도 마음도 예쁘려고 늘 애쓰는 건희야.

너무 애쓰지 않아도 돼. 넌 지금도 충분히 잘하고 있어.

세상천지에 어디 하나 기댈 곳도 없는 건희야.

서른아홉의 내가 다섯 살인 너의 버팀목이 되어줄게. 너 하고 싶은 거 다 해. 괜찮아.

녹록지 않던 너의 사회생활에 참으라고만 했던 그들에게 큰 소리 치고 나와도 돼. 그 후에 넌 먼 길을 돌고 돌아 너의 진짜 진로를 찾게 될 테니까.

감사한 마음을 가지고 살면 감사할 일들이 마구 생긴다는 걸 이제야 알게 되었네.

괜찮아. 감사할 일들이 이미 생기고 있거든.

이기적인 사람들이 널 제치고 승승장구 할 때도 넌 항상 너를 다독이며 살아왔잖아.

그걸로 충분해.

이제는 네가 이기는 날들로 가득할 거야.

네 곁에 너와 너의 아이들이 너를 감사로 가득 채워줄 거야.

잊지 마.

너에겐 벌이가 많지 않아도 명예로운 삶이 있다는 것을.

너만을 바라보는 듬직한 사람이 있다는 것을.

그와 네가 품은 행복의 새싹들이 기쁨과 감사로 무럭무럭 자라나고 있다는 것을. 그리고 기억해.

너에 대한 미안함과 감사로 너만 바라보고 사는 너의 엄마가 있다는 것을.

괜찮아.

충분해.

그리고 사랑해.

건희야.

감사의 눈으로 보면 모든 것이 기적입니다.

- 메리 데이비스 -

눈물이 모이고 모여

백미정

웃을 때 예쁜 미정이에게

미정아, 안녕?

너의 이름을 부르며 이렇게 편지를 쓰려니, 볼 빨간 사춘기 소녀가 어제부터 사귀기 시작한 남자친구를 생각하는 것처럼 부끄럽기도 하고 설레기도 해. 너는 어떠니?

미정이는 자기 마음을 반성하고 살피는 성찰을 가지고 있구나.

아이들이 어렸을 적에 "이 새끼들이 진짜!" 소리친 적 있었지?

뒤통수를 한 대 내리친 적도, 가방을 던진 적도 있었고.

너는 늘 후회하며 울었어. '내가 왜 그랬을까?' 되뇌며 말이야.

후회가 없어지진 않았지만, 시간이 흘러 삶을 축적할수록 너의 눈물이 그렸던 포물선은 작아졌지. 자책을 다짐으로 변화시키는 멋진 선택도 많이 하게 되었어.

미정아, 그때 흘렸던 너의 눈물들이 모이고 모여 지금의 너를 만들어 주었잖아.

성찰의 힘, 기특하고 대견해.

평생 나의 단짝이 되어줄 미정아,

너의 존재에게 고마워.

호수에 내려앉은 햇빛 구슬들처럼 감탄이 나올 정도로 빛이 나는구나.

앞으로도 잘 부탁해.

잘 태어났고 잘 살아 왔고 잘 살아갈 미정이에게

2022년 11월 19일 토요일,

미정이가.

날개가 돋아 하늘을 날아갈 것 같은 감사.

아카시아 꽃이 생각나는 감사.

오리털 이불처럼 푹신한 감사.

배움과 나눔으로 빛나고 있는 너에게

경수경

배움과 나눔을 빛나게 하는 수경이에게

수경아, 안녕?

너의 이름을 부르고 무슨 말을 어떻게 써야 할지 어색하지만, 그래도 너를 부를 수 있어서 감사해. 너의 이름을 불러주니 어떠니?

교회에 처음 나온 사람을 앞으로 초청해 "예수님의 이름으로 축복합니다."라는 말을 듣는 느낌이야.

배움에 진심인 수경이.

"우리 필라테스 가볼래?"

친구의 전화 한통에 일단은 "좋아!"라고 말하는 너.

책 욕심이 많아 예스24 플래티늄 단계를 꽤나 오랫동안 유지하고 있지.

아침마다 눈을 비비며 하나님 말씀 앞에 앉아 애쓰는 너를 언제나 응원해. '배우기를 멈추면 가르치기를 멈춰야 한다.'는 말이 생각나더라. 겸손과 낮아짐으로 배움을 채우는 네가 대견해. 언제까지 배울 거냐는 주변

인들의 말에도 굴하지 않은 너였기에 지금의 멋진 네가 될 수 있었어.

힘들 때도 있지만 배운다는 건 꿈을 잃지 않는 일이었고 너를 성장시키기 위한 너만의 방법이었다는 걸 알아.

평생 나를 최고로 응원해 줄 수경아!

너의 존재에게 고마워.

배움을 나누고, 너와 타인을 빛나게 하는 너여서 생각하면 할수록 귀하고 아름답구나.

날마다 새로움을 발견하려는 보배로운 눈을 가진 너여서 정말 고마워.

힘든 여정 속에서도 잘 태어나줘서 고맙고, 지금까지 잘 버텨줘서 고맙다.

앞으로도 잘 살아갈 수경이에게.

2022. 11. 19

2장

우리에게 말 걸기 : 글쓰기

2장. 우리에게 말 걸기 : 글쓰기

'나는 왜 글을 못 쓸까?'

글쓰기를 해 본 사람이라면 최소 한 번 이상 생각해 봤을 만한 질문입니다.

물음표 앞의 문장을 바꾸어 볼게요. 즉, 질문을 바꾸어 보겠습니다.

나는 왜 글을 잘 쓰고 싶어 할까?

여러분의 생각을 써 주세요.

더 본질적인 질문을 드려볼게요.

또, 여러분의 생각을 써 주세요.

나에게 글을 잘 쓴다는 것의 의미는 무엇일까?

질문을 바꾸면 답도 바뀝니다.

어떻게 질문하느냐에 따라 답의 질, 생각의 질도 달라집니다.

"word가 world를 바꾼다."

이어령 교수님께서 말씀하셨어요.

우리는, 글쓰기로 나를 바꿀 수 있습니다.

지금 나의 글쓰기는 나에게 어떤 질문을 던지고 있나요?

그리고 어떤 답을 가르쳐 주었나요?

또 다른 나를 위해

손경민

‘네가 무슨 책을 쓰고 글을 쓰니?’

환청이 들린다는 것은 이런 느낌일까? 겨우 컴퓨터 앞에 앉은 나에게 또 다른 내가 너무나 잔인한 목소리로 끊임없이 속삭인다.

리베카 솔닛은 말했다. ‘글쓰기는 누구에게도 할 수 없는 말을 아무에게도 하지 않으면서 동시에 모두에게 하는 행위다.’ 그리고 난, 생각한다.

‘내 이야기를 궁금해 하는 사람이 있을까?’

‘내 인생이 그리 특별한 것이 있나?’

‘아무에게도 들려줄 수 없는 이야기면 쓰는 것이 무슨 의미인가?’

‘100분 토론’에 비장하게 나온 패널들처럼 글을 쓰는 나에게 끊임없이 질문을 하면서 컴퓨터를 노려보고 있는 나를 발견한다.

나에게 글쓰기란 내 존재를 별로 좋아하지 않는 또 다른 나와의 만남이다. 마주하기 힘든 존재를 앞에 앉혀놓고 그가 하는 이야기를 감정의 동요 없이 조용히 들어주는 작업일지도 모르겠다.

리베카 솔닛 역시 여느 사람과 마찬가지로, 자신 안에 감춰진 것들을 꼭꼭 숨겨 놓고 싶은 마음과 드러내고 난 후 자유로워지고 싶은 마음이 공존했을 것이다. 그리고 글쓰기가 양가감정과 욕망을 드러내는 좋은 도구가 아니었을까 라는 생각을 해 본다. 친구에게 위험을 무릅쓰고 "이건 비밀이야."라고 말하며 내 편이 되어주길 바라는 그런 마음.

나라는 존재 속에 공존하는, 미워서 쳐다보기 싫은 또 다른 나를 소개하는 것. 나에게 글쓰기란 그 존재를 있는 그대로 인정하는 과정이다.

늘 삼삼오오 몰려다니는 아이들 틈 사이에서 '나는 이들과 함께하면서도 왜 내가 존재하지 않는 것처럼 느껴지는 걸까?' 수없는 물음표를 쓰다 내린 결론이 있었다.

'넌 별로야.'

또 다른 나는 그때 생겨난 아이인가 보다. 어쩌면 더 먼 과거부터 있었던 아이일 수도 있겠다. 이제 나는 글쓰기와 함께 평생 꼭꼭 숨어있길, 절대 밖으로 드러나지 않길 바라는 그 아이와 대화하며 친해지는 과정 속에 있다.

나는 모든 사람의 내면에 몰래 숨어 살고 있는, 또 다른 아이가 한 명씩은 존재한다고 생각한다. 그래서 내 글을 읽으며 용기 있게 그 아이를 불러내는 독자가 있었으면 한다. 그리고 그 아이의 이야기에 귀 기울여 볼 수 있길 기대한다.

'이제 속이 좀 시원하다.'라고 그 아이가 말해주는 날을 기다려 본다.

나의 세계를 온전히 이해하는 날, 온 세계가 나에게 열릴 것을 믿는다.

그 자유로움을 함께 누리면 좋겠다.

깨달았다

김 미 경

"글을 쓸 때는 문을 닫을 것, 글을 고칠 때는 문을 열어둘 것."

스티븐 킹의 말이다. 그도 나와 같은 경험을 했을까? 글을 쓸 때는 문을 닫고, 조용히 홀로 앉아 내 의식을 들여다본다. 냉장고 돌아가는 소리, 아이들이 쿵쾅거리며 뛰어가는 소리에 귀를 닫고 나에게 집중한다. 그러나 글을 고칠 때는 다양한 생각과 감정이 들어오도록 마음의 문을 열어 놓는다. 내 글을 제 3자의 입장에서 본다. 자신에게 매몰되어 툭툭 던져 놓은 글을 연결하고, 잔가지를 자르고, 균형 잡힌 하나의 생각과 느낌을 빚는다.

나는 스티븐 킹의 말을 이렇게 해석한다.

"글을 쓸 때는 자신에게 몰입하고, 글을 고칠 때는 관점을 전환하라." 나에게 글을 쓴다는 것은 품안의 구슬을 꺼내 깨끗이 씻고, 쏟아지는 햇빛 아래서 그 형체와 색깔, 촉감과 소리를 낱낱이 느껴보는 것이다. 그리고 그 구슬을 세상에 굴려, 마음과 마음이 통할 때의 상쾌함을 만끽하는 것이다.

나는 글과는 전혀 상관없이 살아왔다. 글을 꼭 써야 한다는 필요와 열망도 없었다. 이런 저런 파일들이 잔뜩 쌓이고 널부러져 있는 방처럼, 정의되지 않고 정리되지 않은 내면의 답답함을 풀기 위해 '그냥' 글을 써보기 시작했다. 그러면서 내 안에 자신을 표현하고 싶은 욕구가 많다는 것, 나에게 집중할 때 즐겁다는 것, 다방면으로 보는 넓은 시선이 절실함을 깨달았다.

이제 내 글이 내 영혼을 다독이며 말한다.

"내 안에서 마음껏 탐험하고, 풀어내고, 재정립하면서 앞으로 헤엄쳐 나가 봐. 그러다 보면 새로운 꿈에 도달해 있지 않을까?" 그 꿈은 몽실몽실하고 달콤한 분홍 솜사탕을 닮아 있을 것이라는 예감이 든다.

자유로운 영혼을 위한 글쓰기

송지은

‘작가가 하는 일은 사람들을 자유롭게 하고 사람들을 흔들어 놓는 일입니다.’ 이 말을 남긴 수전 손택은 과거의 상처, 미래에 대한 두려움으로 힘들 때 글을 쓰면서 그것으로부터 벗어날 수 있었던 것은 아닐까? 외면하고 싶어서 묻어둔 고통을 글로 드러내며 그때의 감정을 흔들어 털어버린다.

마치, 수전 손택이 이렇게 말하는 것만 같다.

‘작가가 하는 일은 과거와 미래를 현재로 가져오는 것입니다.’

나는 글쓰기를 통해 과거의 기억도, 미래에 대한 불안도 지금 이 순간의 관점으로 재해석하며 현재를 즐길 수 있었다. 나에게 글을 잘 쓴다는 것은 내 마음을 잘 들여다보고 진짜 나와의 만남을 즐긴다는 것이다. “엄마도 감정이 있는 사람이라고!” 아이들에게 소리치고 싶었던 날도, ‘내가 좋아하고 잘 할 수 있는 일은 뭘까?’ 고민하던 때에도, 내 인생의 정답 좀 알려달라고 누구라도 붙잡으며 방황했던 날도, 글을 쓰면서 내 감정이 어디에서 비롯된 것인지 알아차릴 수 있었고 미래의 불확실함을 걱정하기보다 현재에 더 집중할 수 있었다.

내가 그랬던 것처럼 독자들도 글쓰기를 통해 자신의 감정을 제 3자로서 관찰하고 부정적인 감정으로부터 자유로워지길 바란다. 한그루의 나무가 햇살과 바람을 느끼며 지금 이 순간에 충실하듯, 지금의 기쁨과 평온함을 함께 누리며 살아가고 싶다.

나의 글은 내 영혼을 흔들어 깨운다.

"생각과 감정은 네가 아냐. 네가 원하는 것은 무엇이든 선택할 수 있어. 외부 세상과 감정에 끌려 다니지 말고 너 스스로 네 인생을 만들어가 봐. 네 인생의 주인은 바로 '너'야."

나 또한 나의 글로 사람들의 영혼이 깨어날 수 있게 돕고 싶다.

"무엇이 당신의 자유를 빼앗은 것 같나요?
슬픔과 고통으로 힘드신가요?
글을 쓴다는 것은
과거와 미래로부터 당신을 '지금 이 순간'으로 데려와
삶의 주인으로 살 수 있게 도와줄 거예요.
우리, 함께 글 쓰지 않을래요?
우리의 자유로운 영혼을 위해서요."

자유로운 영혼으로 삶의 주인이 될 수 있도록 도와주는 글쓰기가 나는 참 좋다.

글, 존재

전은숙

“글쓰기는 머리가 아닌 보이는 곳에다 낱말을 늘어놓는 것이다.”라고 말한 로버트 진 브라이트 역시, 찰나의 생각을 낱말로 기록하지 않으면 감쪽같이 사라지는 경험을 했기에 기록해야 함을 강조하고 싶었던 것 같다. 매우 짧은 시간 떠올랐다 사라질 준비를 하는 그때의 생각이 낱말이 되는 바로 그 순간, ‘글’이라는 생명체가 탄생된다.

머리에 떠오르는 것들을 언어로 만드는 일은 익숙하지만 나에게 글쓰기는 아직도 쉽지 않은 도전이다. 그런데도 내 삶을 글로 기록하고 싶어지는 이유를 곰곰이 생각해보니, 나를 포함해서 독자들에게 ‘너무 잘하려고 애쓰지 않아도 우리는 이미 충분히 괜찮은 사람’이라는 위로를 전달하고 싶은 것 같다.

나에게 글을 쓴다는 것은 인디언들이 말을 타고 달리다 가끔 말을 세우고 뒤를 돌아보는 오래된 의식과 닮아 있다. 영혼이 몸을 쫓아올 수 있도록 기다려 주는 인디언처럼 무언가를 증명하기 위한 글쓰기가 아니라, 살아있음을 느끼고 ‘나’라는 존재를 보살펴주기 위함이다.

살아 있기에 기록할 수 있다는 것을 기뻐하며 글을 쓰는 동안 만나는 낯선 '나'와 친해져 보고, 있는 그대로의 나를 인정하는 시간이 될 것이다. 이것을 위해 노트에 낱말을 늘어놓는다는 가벼운 마음을 행동으로 옮겨 보자. 우리의 존재에 또 다른 생명을 부여해 주자. 글은 곧, 존재가 되어 줄 것이다.

밥심의 글

진수민

'우리가 힘을 얻는 곳은 언제나 글 쓰는 행위 자체에 있다.'라고 나탈리 골드버그는 말했다.

왜 나탈리 골드버그는 글쓰기로 힘을 얻을 수 있다고 했을까? 그녀는 기댈 곳 없이 외롭고 힘들어서 글을 썼을까? 혼자 모든 짐을 안고 묵묵히 인고해야 하는 삶을 살았던 건 아닐까? 글쓰기를 통해 온전히 자신을 위로하고 사랑하고 힘을 얻을 수 있었던 게 아닐까? 결국, 나에게 하는 질문들이다.

나는 힘을 어디에서 얻는지 생각해보았다. 아이들의 웃음소리, 통장에 찍힌 소득, 나를 찾는 사람들, 열정을 기울인 강의, 가족 등등 힘을 얻을 수 있는 요소가 많았다. '나는 참 행복한 사람이구나.'라는 생각이 든다.

땅속에 꺼지는 듯한 삶의 구간도 있었다. 내 존재 자체를 부인하고 사라지고 싶었다. '시간이 지나면 괜찮아질까'라는 생각조차 희망 고문처럼 느껴졌다. 누구에게도 나의 마음을 설명할 수 없었고 나조차 나를 외면했다. 나는 왜 그렇게 힘들었을까.

온라인 필사 모임, 글쓰기 스터디에 들었다. 그곳에선 웃음 가면을 던져버릴 수 있었다. 글을 쓰며 울고 웃는 나를 발견했다. 나의 글이 나를 위로했다. 차츰 살아갈 힘을 얻었다.

겉으론 웃고 있지만 속으로 화가 난 당신, 울고 있는 당신에게 글을 써보라고 권하고 싶다. 내가 글자모임을 만나 따로 또 같이 글을 쓰는 것처럼. "힘들어 죽겠어."라고 한숨 쉬듯 내뱉던 말이, "내가 나라서 다행이야. 나는 내가 참 좋아."로 바뀐다. 글 쓰는 행위 자체로 내가 나를 위로하게 된다. 진심으로 살게 하는 힘을 만든다. 온전히 나 자신을 바라보고 위로하고 단단하게 할 힘은 글쓰기를 통해 얻을 수 있다.

친구 집에서 따뜻한 국과 밥을 대접받았다. 유산 후 처음 먹는 미역국이었다. 눈물인지 국물인지 모르게 후루룩 다 마셔버렸다. 내 슬픔도 함께 삼켰다. 글쓰기는 밥상이다. 다 같이 맛있게 먹을 수 있는 따뜻한 밥상 말이다. 자신이 무엇 때문에 힘든지도 모르는 사람들에게 따뜻한 밥상 같은 글을 대접해 주고 싶다.

"지금까지 애썼어. 맛있게 먹어." 내 글이 내 영혼을 위로한다. 그리고 충만해진 영혼이 즐겁게 소리친다.

"자, 실컷 먹었으니 함께 잘 달려보자!"

넌지시, 그리고 벅차게

김연정

'글을 쓰는 것은 압도적인 감정을 자초하는 일이다.'

마크 도티의 말이다.

문득 서랍 정리를 하다가 나온 어린 시절의 '또 다른 나'인 사진을 발견했을 때처럼 마음을 정지시키는 문장이었다. 무조건적인 부모님의 사랑의 무게와 마주하는 시간 같았으며, 감당할 수 없는 감정의 실타래를 하나씩 시각화하고 난 직후 느낄 수 있는 것. 마크 도티의 말을 내 것으로 만들어 본다.

'글을 쓰는 것은 실제의 나를 맞이하고 마주하겠다는 가슴 벅찬 일이다.'

나에게 글을 쓴다는 것은, 첫사랑의 달콤한 기억을 끄집어내는 것과 같다. 글쓰기를 대할 때마다 설레고 심장이 뛴다. 첫사랑을 만나러 가는 길목에 다다를 때면 가슴이 뻥 터져 버릴 것 같은, 그래서 너무 잘 해보고 싶지만 막상 앞에 다가서서는 또 긴장하게 돼서 실수만 연발하게 되는. 하지만 '첫사랑'의 기억은 풋풋함에 더 가깝다.

그래서 나는,

되돌아보면 부끄럽기 그지없던 나의 삶에 조금이나마 용기를 가질 수

있는,

삶의 여정 가운데 비틀거리며 조금씩 나아가고 있는,

그러기에 기대되고 설레는,

다시금 풋풋한 희망을 선택할 수 있는,

그런 이야기를 독자들에게 해 주는 사람이 되고 싶다.

나의 글이 영혼에게 말을 걸어온다.

'네 영혼은 안전하니?'

나의 영혼은 별처럼 반짝인다.

숨이 멎을 듯 쌓여가는 삶의 한숨들을 한꺼번에 푹 토해내는 순간,

사춘기인 듯 갱년기인 듯 울컥울컥 하는 순간,

발을 동동 구르며 큰 소리를 내지르고 싶은 순간,

그 모든 순간이 나였고 그 또한 행복이었고 지금도 너무나 안전하고 평안하다.

온전히 나를 받아냈던 시간들이 지금의 나를 만들어 왔음을 잊지 말라고, 내 글은 내 영혼을 불러 세운다.

글로 사람들에게 넌지시 다가가 본다.

"행복의 가장자리에서 도망치고 싶을 때에도 울고 싶을 때에도 우리, 살아내요. 버텨내요."

나와 나의 삶을 마주할 수 있는 가슴 벅찬 글쓰기로 우리는 또 멋지게 살아낼 것이다.

편하게 그냥

김영주

'제대로 쓰려 말고, 무조건 쓰라.'

미국의 유머 작가이자 만화가인 제임스 서버의 말이다. 제임스 서버가 어디선가 나를 지켜보고 있는 듯하다. 글을 쓰겠다고 간 카페에서 고민만 하다가 한 시간을 보냈던 적이 있다. 아마 제임스 서버도 고뇌하며 글을 쓴 순간이 있었을 것이다. 그때 자신과 대화를 나누며 자신에게 한 말이었을지도 모른다는 생각을 해 본다.

'완벽하고자 하는 마음을 버리고, 즐기면서 쓰라.'

제임스 서버의 글을 인용하여 나는 글을 쓰는 나에게 이렇게 말해주고 싶다. 처음부터 완벽하게 쓰기 위해 고민하는데 너무 많은 시간을 갖지 말고 그냥 쓰는 것을 즐겨보라고 말이다.

그럼 나에게 '글을 잘 쓴다'의 의미는 무엇일까? 어릴 적 누구에게도 말하지 못하며 가슴앓이를 하던 일, 사랑을 시작하고 가슴 벅차던 순간, 사랑하는 사람과 헤어진 후 슬픔을 이기지 못해 매일 밤 눈물 흘리던 때, 누군가와 나의 일상을 도란도란 이야기하고 싶던 날의 소중한 순간들이 나의 다이어리에 차곡차곡 쌓였다. 나의 일상 그리고 생각과 감정을 자유롭게 노트에 풀어 놓는 것, 나에겐 이것이 바로 글을 잘 쓴다는 의미이다.

뛰어난 능력이 있지도 않고, 글을 맛깔나게 쓸 수도 없는 나는 그저 평범한 일상을 나누고 그 글에 사람들이 공감하고 위로받는 글을 쓰는 작가, 그리고 언제든 기쁘고 슬프고 화나고 아픈 일들을 편하게 이야기할 수 있는 친구 같은 작가가 되고 싶다.

편한 작가! 내가 쓴 글인데 '편한'이라는 단어가 내 영혼에게 이렇게 말하는 듯하다.

"네가 남들에게 편한 사람이 되고 싶어 하고 그렇게 노력하는 것처럼 다른 이들도 너에게 편한 사람이 되고 싶어 하니 너무 많은 생각하지 말고 너도 힘들 땐 손을 내밀어 봐."

망치로 머리를 한 대 맞은 듯 한참을 멍하니 있었다. 맞아! 그래서 나는 글을 쓰고 싶은 건가 보다. 나의 글이 나의 영혼에게 말을 걸어 나를 깨웠듯 나도 사람들에게 말을 걸어 본다.

"힘든 일, 나에게만 있는 거 아니잖아요. 기쁜 일, 남에게만 있는 거 아니잖아요. 우리의 편안함, 글로 누리면서 그냥 행복해져요!"

진심과 따뜻함으로

이성화

'글쓰기는 결국 내면을 표현하는 일입니다.' 유시민이 한 말이다. 그의 내면에 내뱉지 않고는 견딜 수 없는 무언가가 있었나 보다. 사람들에게 전하지 않고는 견딜 수 없었던 폭포수 같은 그 말이 무엇이었을까? 다시 그의 글이 읽고 싶어진다. 다시 읽으면 그의 진심이 느껴질 것 같다.

'자세히 나를 들여다보아야 쓸 수 있는 글쓰기는 나를 인간적으로 만드는 시간이다.' 유시민이 정의한 글쓰기에 대해 동감하며 내 말로 바꾸어 본다. 글을 잘 쓴다는 건 무얼 뜻하는 걸까? 미사여구와 비유로 글 쓰는 것도 대단한 능력이다. 하지만 내가 글을 쓸 때 1순위로 삼는 것은 나 자신에게 솔직해지는 것이다. 인간적인 따뜻함도 배어 나오면 좋겠다.

하지만 나 자신에게 솔직하지 못할 때가 얼마나 많았던가? 만 보 걷기 모임에서 만 보를 채우지 못하면 오천 원의 벌금을 물어야 한다. 어느 날인가, 피곤했던지 손으로 핸드폰을 쥐고 흔들다 잠이 들었다. 아침에 일어나서 보니 '9700보' 숫자가 보인다. '아, 속상해. 포토샵으로 숫자 수정할까 보다.' 나약하고 비굴한 내 생각에 양심이 쪼그라들었다. 나를 속이며 감추고 싶을 때가 얼마나 많았던가? 그래서 나를 돌아보며 글을 쓰는 시간은 중요하다. 부끄러운 내 모습도 쓸 수 있는, 진심이 느껴지는 작가가 되고 싶다. 독자들도 자신 안에 있는 이기심과 욕심을 내려놓고 다시 따뜻하게 자기를 끌어안는 시간이 필요하리라.

나의 글은 내 영혼에게 잠깐 쉬었다 가라고 손짓한다.

“네가 원하는 방향으로 잘 살아가고 있니?” 다시 한 번 되묻는다. 그래서 오늘 하루도 새롭게 시작한다. 좋은 인간으로 오늘 하루를 살아보자. 내 글은 다른 영혼에게도 말을 건다.

“나와 비슷한 생각을 하며 사는 사람들이 또 있었구나. 나도 나를 돌아봐야겠다.” 사람들이 진심과 따뜻함으로 원하는 삶을 잘 살아갈 수 있도록 내 글쓰기가 도움의 도구가 되기를 바란다.

나는 인정받고 싶다

김 지 혜

'글쓰기에는 어떠한 속임수도 허용하지 않는다. 모든 문장은 기나긴 시련의 결과다.'

미국의 철학자이자 시인인 헨리 데이비드 소로가 한 말이다. 그는 간디의 비폭력 운동과 1960년대 흑인 인권운동에 큰 영향을 끼친, 20세기를 움직인 책 가운데 하나로 뽑히는 《시민 불복종》의 저자이기도 하다.

"지혜야, 네가 진짜 책을 썼다고?"

몇 년 전, 출판사와 출간 계약을 맺은 후, 들뜬 마음으로 가족에게 소식을 전했을 때 엄마는 도저히 믿을 수 없다는 듯 '뭉크의 절규'처럼 놀란 표정으로 나에게 묻고 또 물었다.

"이게 네가 쓴 책이라고? 어떻게 책을 쓴 건지 말 좀 해봐. 응?" 출간된 책을 친정에 가지고 갔을 때에도 얼굴에 있는 모든 구멍이 두 세배는 더 커진 엄마가 나에게 말했다.

얼마 전, 공저 책을 출간했다는 소식을 가족에게 전하게 되었다.

"지혜는 책도 안 읽는 애가 어떻게 또 책을 썼대?"

"책도 안 읽는 것이 책을 쓰니 그게 더 대단한 거 아니냐?"

"푸하하하하하!"

오빠, 엄마, 아빠가 한 편이 된 것 마냥 한 마디씩 하셨다.

"네 아빠 웃음소리, 오랜만에 들어 보네."

가족들 앞에서 자신의 감정을 드러내지 않는 아빠의 웃음에 엄마가 한 말씀 보태셨다. 가족들에게 놀람과 웃음을 선물하게 된 나의 두 번째 출간 소식이었다. 그래, 그거면 족하다.

헨리 데이비드 소로 역시 글을 쓰기 시작했을 때, 내가 경험한 것처럼 믿을 수 없다는 가족과 지인들의 반응에 '글쓰기에는 어떠한 속임수도 허용하지 않는다. 모든 문장은 기나긴 시련의 결과'라는 글로 대답을 대신한 것이 아닐까?

나에게 글을 잘 쓴다는 것은 가족에게 받는 '인정'이다.

"내 딸 진짜 작가 맞네!"

"우리 엄마, 작가야!"

"여보, 이번에 쓴 글 진짜 좋더라."

30여 년 동안 살 부대끼며 살아온 부모님과 오빠. 10여 년을 가족이라는 이름으로 살아오고 있는 남편과 두 아이들에게 나의 글이 인정받는 것. 가족들이 모르는 한 가지가 있다면, '나의 글은 꾸밈없이 솔직하게 나를 드러낸, 아픔과 고통을 지나온 시간의 결과물'이라는 것이다.

그래서 나는 인정받고 싶다. 두꺼워진 화장에 가려진 민낯보다 세월의 흐름으로 자리 잡은 주름과 넓어진 모공을 자연스럽게 드러내는 자신감이 나다움으로 빛난다는 것을 알게 된 불혹의 나처럼, '진짜 글 잘 썼네!'라는 칭찬은 못 받아도 '솔직하고 담담히 써 내려간 글이라 오히려 더 공감된다.'라는 독자들의 인정 말이다.

다른 이들의 인정에 목말라 앞만 보고 달려가던 나에게 잠깐 쉬어가도 괜찮다는 듯이 내 어깨를 토닥여주며 글이 말한다.

"아픔과 고통의 순간 나를 선택한, 지금도 계속 나아가고 있는 너를 응원해. 과거의 너처럼 가족들 눈치 보느라 마음껏 소리 내지도 못하고 홀로 주저앉아 숨죽여 울고 있을 이에게 우리 함께 손 내밀어볼까? 아무것도 묻지 않고 꼭 안아주던 엄마의 품처럼, 언제나 푹신하게 제 몸을 내어주며 따끈한 온기를 전해주는 이불 같은 글을 써 내려가자."

내 글은 오늘도 나를 인정해 준다.

10_

두려움은 내 친구

김태은

두렵지 않다면 글을 쓰고 있는 것이 아니다.
- 랠프 키스 -

랠프 키스는 글을 쓰기 전, 어떤 글을 쓸지 고민을 많이 하신 것 같다. 나도 글을 쓸 때 '잘 쓰고 있는 걸까?'라는 생각에 두려운 날이 있다. 그래서 랠프 키스의 말에 공감이 된다.

나는 왜 글을 잘 쓰고 싶어 할까?
나에게 있어 글을 잘 쓴다는 의미는 무엇일까?

나에게 글을 잘 쓴다는 의미는 내 경험을 진실 되게 쓰고, 이것을 바탕으로 독자에게 희망의 메시지를 전하는 것이다. 나는 어린 시절, 몸이 허약했다. 할 수 있는 게 아무 것도 없을 정도였고, 부모님은 나를 걱정하시는 만큼 엄하게 대하셨다. 귀가 시간도 정해져 있었다. 불만이 많은 나에게 엄마는 말씀하셨다.

"너처럼 건강하지 않은 딸 키워봐. 엄마 심정 알게 될 거야." 엄마의 말을 들은 난 반감이 생겼다.

"난 내 아이들, 건강하게 키울 거다." 하지만 내가 엄마가 되어 아이들을 키우다 보니 친정 엄마가 하신 말씀이 조금 이해가 되었다.

세월의 흐름과 글쓰기로 타인을 바라보는 시선이 조금 넓어진 나의 모습을 읽고 독자들이 고개를 끄덕이며 '그 때 그 사람에게 무슨 이유가 있었을까?'라는 예쁜 물음표 하나 가져갈 수 있다면 좋겠다.

힘든 일이 있을 때는 눈물도 많이 흘렸지만, 글을 쓰며 두려움을 극복할 수 있었다. 용기를 내어 글을 써준 나 자신에게 감사함을 느낀다.

그래서 나는 파란 하늘과 끝이 없는 바다가 어울리는 것처럼 독자들이 나의 글을 읽고 "편안하다."라는 마음이 들 수 있도록, 독자들에게 희망을 주는 작가가 되고 싶다.

나의 글이 나의 영혼에게 말을 걸어온다.

"바쁘고 힘겨운 삶이지만, 잘 하고 있어. 지금처럼 네 옆에서 힘이 되어 줄게. 너의 이야기를 들려주렴." 이제 나는, 두려움도 내 글쓰기의 친구로 삼으련다.

11_

어떤 인생이든 글을 만나면

전숙향

"한 번에 좋은 글을 쓴다는 건 말이 안 된다. 고쳐 써야만 좋은 글이 나온다."

'루이스 브랜다이스'가 나를 알고 속삭여 주는 것처럼, 이 명언에 위로를 받는다.

대문호 헤밍웨이도 "초고는 쓰레기다."라는 말을 남겼듯이, 아무리 뛰어난 작가도 단번에 훌륭한 글을 완성할 수는 없다. 한 번에 좋은 글을 쓸 수 있다는 욕심을 버리자. 마음에 들지 않는 인생의 구간을 고쳐 나가듯, 글도 그리하면 된다.

글을 다듬는 과정은 씨앗을 심고 식물이 자라는 과정을 지켜보는 마음과 같다. 나의 글도 몇 번의 수정을 거치면서, 처음 심을 때의 씨앗에서는 생각할 수 없었던 전혀 다른 식물로 자라는 체험을 했다. 그때의 짜릿함은 무엇과도 바꿀 수 없었다.

좋은 글을 얻기 위해 처음부터 안달할 필요가 없는 것이다. 그래서 무작정 쓰고 보는 나를 발견한다.

자신의 내면을 표출하고 자기 인생을 이야기하는데 글만큼 자유로운 도구도 없다.

글은 마지막 활자로 찍혀 읽힐 때까지 중간 과정은 전혀 드러나지 않기 때문에, 실수로 내뱉은 말로 자주 후회를 하게 되는 나 같은 사람에게는 글쓰기가 제격이다. 글을 쓸 수 있으니 얼마나 다행인지 모른다.

그리고 작가에게 주어진 보물 같은 권리인 '표현의 자유'를 누리며, 세상 사람들은 나의 글에 생각보다 관심이 없다는 사실도 인정하게 된다.

나에게 있어 글은 가장 좋은 친구이자, 내 인생 여정의 아름다운 돌파구다. 그래서 나는 잘 정제된 물과 소금 같은 작가가 되고 싶다. 나의 글이, 독자가 자신을 돌아볼 때 마음 깊은 곳에서 들려 오는 청아한 소리에 귀 기울일 수 있는 울림을 주는 글이 되었으면 좋겠다.

나의 글이 나의 영혼에게 "오늘은 어떠니, 네 글은 잘 있니?" 말을 걸어오면,

"충분히 잘하고 있단다. 지금처럼 살아가면 돼."라고 대답한다.

"내 인생은 볼품없어!"라고 글쓰기를 포기하는 분이 없었으면 좋겠다.

'어떤 인생이든 글을 만나면 진주보다 고귀하고 특별한 인생으로 재탄생 될 수 있다.'라는 나의 명언을 남기며, 독자들에게 글쓰기를 적극 추천해 본다.

12_

오늘도 안녕한가요

안영선

인류에 대해 쓰지 말고 한 인간에 대해 쓰라.

- E.B 화이트 -

들키고 말았다. 커서만 깜빡거리는 노트북 앞에서 어깨에 잔뜩 뽕 주려다, 넣을 뽕이 없음에 이내 개미만큼 작아지는 내 모습을.

'누구나 인정할 명함이 있는 것도 아니고, 세상에 내놓을 어른다운 통찰력이 있는 것도 아닌데 누가 내 글을 읽겠어?' 이런 무의식에 짓눌려 여태 글쓰기를 미뤄두고 있었는지도 모르겠다.

"인류에 대해 쓰지 말고 한 인간에 대해 쓰라." 엘윈 브룩스 화이트가 내 귀에 속삭인다. '워워워! 어깨 힘 좀 빼고, 방귀도 뀌면서 네 이야기를 써 보게. 세상에 하나밖에 없는 자네의 이야기만으로도 충분히 흥미로울테니!'

'그래! 가보지 않은 길을 동경하며 나인 척 쓰지 말고 삶의 자리에서 겪어낸 나에 대해 쓰자!'

글을 쓴다는 것은 온전히 나에게 말을 거는 일이다. 4명의 아이들 이름을 하루에도 수십 번 부르면서도, 남편과 아이들이 필요한 것은 요구하기도 전에 미리 챙겨주고 배려하면서도, 엄마 역할에 충실하여 쓸모의 가치로만 여겨지던 날에도 나를 향한 다독임은 글쓰기였다.

여기저기 흩어져 있는 내 삶의 조각들을 주워와 정갈한 언어로 사유의 바구니에 담아 다독거리다 보면, 미처 보지 못하고 느끼지 못했던 나와 너를 마주할 수 있는 공간이 생긴다.

나에게 글을 쓴다는 것은, 이 공간에서 마음껏 쓰며 울고 웃는 나를 매만질 수 있으니 내겐 선물을 의미한다. 내 영혼을 위한 양식이 되는 것이다.

여기서도 피고 저기서도 피는 민들레처럼 우리 모두 주어진 자리에서 오늘을 피울 수 있다고 말하는 작가가 되고 싶다. 나의 글이 그대의 피움에 보태어지는 한 방울 단비이길 기도하며, 다정한 인사를 건넨다.

'오늘도 안녕한가요?'

13_

고마움의 글쓰기로 완성되어 가다

최덕분

'글쓰기는 한 줄의 단어를 펼쳐놓은 것으로 시작된다.'

애니 딜러드가 나에게 들려준 말이다. 그도 나처럼 글쓰기를 시작할 때 단어를 선택함에 있어 깊은 고민을 하지 않았을까? 마음먹고 글쓰기를 시도할 때 가장 어려운 점은 첫 문장을 어떻게 써야 할지 모른다는 것이다. 애니 딜러드 역시, 하나의 단어를 꺼내 쓰기까지 수많은 갈등으로 주저하다 시간만 보내게 된 날이 많았을 것 같다.

그럼에도 불구하고 완벽한 글쓰기보다 단 한 줄이라도 용기를 내어 글쓰기를 시작했을 것이다.

'글쓰기는 단 한 줄의 단어를 용기 내어 쓰는 순간부터 시작된다.'

애니 딜러드가 들려준 말을 나만의 언어로 재창조 해 본다. 나에게 글을 잘 쓴다는 의미는 두렵지만, 시작의 용기를 내어 완성해보는 것이다. 글쓰기를 잘하고 싶은 마음에 이것저것 많은 것들을 배웠다. 책 쓰기도 도전해봤다. 막상 배움의 시간이 시작되면 두려움이 찾아온다. 남들은 글쓰기를 다 잘하는 것 같은데 나는 첫 문장에서 좌절한다. 포기하는 경우가 많이 있었다. 사람들의 시선을 의식하며 잘 쓰려는 마음 때문에 항상 걸림돌이 되었다. 그럴 때마다 완벽보다는 완성이라는 의미를 부여하며 용기로 선택했다.

그래서 나는 독자들이 내 글을 읽고 '완벽'보다는 '완성'되는 과정을 즐기길 원한다. 서툴면 서툰 대로, 부족하면 부족 한 대로, 있는 모습 그대로, 따뜻한 시작의 용기를 주는 작가가 되고 싶다.

나의 글이 나의 영혼에 말을 걸어온다.

"따뜻한 시작의 용기로 나를 선택해주어 고마워. 언제나 고마움을 담아 표현해준 덕분에 늘 풍요로움을 느꼈지. 이젠 나와 함께 하는 소중한 사람들에게 따뜻한 풍요로움을 도와주자."

나 또한 나의 고마움의 글로 사람들에게 이렇게 말을 걸어 올 것이다.

"이 세상에 존재하는 모든 것들은 당신을 돕기 위해 존재해요. 모든 것에 대한 고마움의 글을 써 봐요." 용기의 글쓰기, 고마움의 글쓰기로 우리는 완성되어 간다.

진실로 세상과 연결하라

박주란

'첫 줄을 쓰는 것은 어마어마한 공포이자 마술이며 기도인 동시에 수줍음이다.'

존 스타인 백이 남긴 말이다. 그가 이 명언을 남기기까지, 축적된 글을 통해 얼마만큼의 긴장감과 예민함을 담아냈을까? 글과 함께 표현하고 싶었던 그의 간절함은 무엇이었을까?

문득, 나는 글을 통해 무엇을 표현하고 싶은 걸까 생각해본다.

나에게 글이란 무엇일까? '연결'이다.

나의 내면을 표현하고 싶어 글을 도구 삼아 조심스레 세상에 나를 내보이며, 말보다 글로 끄적이는 것이 좋은 나를 좀 더 편안하게 나타낼 수 있는 도구.

때론 불새같이 뜨거운 마음을, 때론 살을 에는 차가운 겨울 밤바다 같은 마음을 세상과 연결하기 위해 용기 내어 한 글자씩 써 내려가는 것이다. 그래서 나에게 있어 첫 줄을 쓰는 것은 세상과 연결되기 위해 조심스레 내딛는 한 걸음이다. 그 한 걸음이 가벼울 때도 있고, 가끔은 글자 자음 하나조차 쓰기 어려울 정도로 무거울 때가 있지만 어찌 됐건

마구 갈기고 나면 후련해지는 고마운 존재가 글이다.

나에게 있어 글을 잘 쓴다는 것의 의미는 무엇일까?

그것은 세상과 연결되기 위해 나의 것을 어떻게 전할 수 있을까 깊이 고민하는 과정이다. 나의 민낯 그대로 내보이다가도, 보일 듯 말 듯 희뿌연 안개 속을 걷는 것 같다가도, 다시 동굴 속으로 숨어버리기를 반복하는 나의 삶을 그대로 보이며 결국엔 '연결'되고픈 내 몸부림의 결과이다.

그러기에 나는 무엇이라 규정할 수 없는 삶의 모습을 진심을 담아 글로 연결하는 작가가 되고 싶다. 규정할 수 없고, 규정되지 않는 삶의 다양한 모습 그대로 자신 있게 세상과 연결되기 위해 손 내미는 작가 말이다. 그래서 사람들에게 외치고 싶다.

"틀린 것이 아닌 그저 다를 뿐인 우리의 진실된 모습 그대로 자신 있게 글을 써 봅시다!"

나의 글이 지금 나의 움츠린 영혼에게 말을 걸어온다.

"어떤 것과도 비교할 수 없는 너 자신만의 모습으로 용기 있고 멋지게 세상과 연결하라."

나와 그대는 이미 모든 것을 가진 승리한 사람이다.

15_

가장 소중한 것

윤선희

"쓰고 싶지 않을 때도 글을 써라. 쓰고 있는 글이 마음에 들지 않을 때도, 별로인 글만 쓰게 될 때도."

애거사 크리스티가 이렇게 내 정곡을 콕, 찌르는 말을 남기다니 정말 신기하다. 유명한 소설가인 그녀도 항상 글이 잘 써지는 건 아니었나 보다. 이제 글쓰기를 시작한 나의 고민을 똑같이 하고 있는 걸 보니 말이다. 용기가 생긴다. 항상 '잘 해야 해. 실수하면 안 돼!'라는 생각에 묶여 시작조차 못하는 나에게 "일단 해. 그냥 써봐!"라고 옆에서 조언해 주는 것 같다.

"나의 일생을 글로 써라. 좋은 기억, 부끄러운 기억도, 썼던 이야기를 또 쓰게 되어도, 이것저것 뒤죽박죽 쓰게 될 때도." 그녀의 말을 빌려 나에게 이야기 해 본다.

나에게 글을 잘 쓴다는 의미는 과거의 나쁜 기억은 보내주고, 좋은 것은 추억으로 남겨 앞으로 살아 갈 내 삶의 원동력으로 삼는다는 뜻이다. 아직은 어색한 글쓰기이지만, 하루의 마무리를 글쓰기와 함께 하며 '나'에 대해 끊임없이 알아가고 앞으로 더 나은 삶을 살아가고 싶다.

그래서 나는 독자들이 내 글을 읽고 특별하거나 잘 해내야만 행복한 삶이 아님을, 실수했던 삶이나 지극히 평범하게 살아가고 있는 지금 그들의 삶 자체가 가장 소중함을 알게 하는 작가가 되고 싶다.

글을 쓰고 있는 이 순간, 스스로에게 다짐해 본다.

"잘 하고 있어. 지금처럼 살아가는 거야. 점점 더 나아지고 있는 너를 느껴봐." 나 또한 내 글로 사람들에게 이렇게 외치고 싶다.

"괜찮아요. 힘내요! 지금 모습 그대로 당신은 가장 소중한 사람이에요. 스스로를 사랑하며 살아가요."

16_

아는 것을 주는 힘

박건희

"감사의 눈으로 보면 모든 것이 기적입니다." 메리 데이비스의 말이자, 내가 글을 쓰게 된 연유다.

글을 쓰자고 결심하게 된 것은, 주변의 모든 것을 감사의 눈으로 보기 시작했을 때부터였다. 내가 쓴 글을 사람들이 읽고 공감하면서 용기와 감사를 얻었으면 좋겠다는 희망이 생겼다. 메리 데이비스도 지적 장애인의 권리와 포용을 위한 활동을 하면서 지쳐있고 자존감이 내려가는 사람들의 마음을 감사로 북돋아 주기 위해 글을 썼던 게 아닐까?

나에게 글쓰기란, 다른 사람의 아픔을 치유하는 데 작은 보탬이 되고 싶은 행위이다. 내가 받은 만큼 주는 기쁨도 크다는 것을 어려서부터 알았다. 지금도 누가 내 생일이라고 선물을 주면 그 사람의 생일을 꼭 챙긴다. 내가 어렵게 찾은 고급 정보도 내 블로그에 주저하지 않고 쓴다. 아는 것을 주는 힘은 대단하다. 특히 사심 없이 주는 것이 중요하다. 내 글로 사람들을 유혹하여 내가 이득을 취하는 일은 낯설고 어색하다. 그래서인지 내 진심을 찾아주는 이들이 있다. 나는 비록 소수일지라도 나의 삶 속에서 나오는 이야기 자체가 누군가에게는 오늘을 살아낼 힘과 울림이 되는 작가가 되고 싶다.

나의 글이 나의 영혼에게 속삭인다.

"너의 모든 경험을 보여주는 글은 많은 사람이 공감할거야. 앞으로도 계속 너를 위한 글을 쓰고 감사로 빛나고 있는 날들을 써보자. 더 많은 사람의 영혼이 살아나게 될 거야."

나 또한 글로 사람들에게 이렇게 다가가고 싶다.

"당신은 이미 잘 살고 있습니다. 잘 살아내고 있기 때문에 고통과 시련들도 따르게 된 것입니다. 당신이 지금껏 고통 받은 일들은 당신의 잘못이 아닙니다. 그러니 오늘도 잘 살아가다 보면 반드시 빛나는 날들이 오게 될 것입니다. 그리고 감사하시길 바랍니다. 그 감사를 흘려보내 주시길 바랍니다."

17_

고마워! 움직여 주어서

김경아

‘글쓰기와 인생의 본질은 똑같다. 뭔가를 발견하는 항해라는 점에서 특히 그렇다.’ 소년 시절부터 독서에 열중했던 헨리 밀러의 명언이다.

지인에게 “인생의 본질은 어디에 있다고 생각하나?”라는 질문을 받은 건 아닌가 생각된다. 글쓰기와 함께 삶을 항해하다 발견한 진실된 내면에 기뻐하며 인생의 가치를 느꼈나 보다.

“글쓰기와 인생은 정답이 없는 여정이라는 점이 닮아있다.”

나에게 글을 잘 쓴다는 것은 인생의 정답을 찾아 항해하는 도전과도 같다.

“이쪽이다.”

“아니, 저쪽이다.”

“맞아!”

“아니야, 틀렸어.”

“와! 같다.”

“이건, 좀 다른데?”

글쓰기는, 목적지가 없는 삶의 항해 앞에 반복되는 질문을 하며 계속 나아가게 해 준다. 그래서 나는 끝없고 정답 없는 인생의 항해 중에 경험되는 소소한 일상들을 수용하며, 그것을 나만의 가치로 만들 수 있는 작가가 되고 싶다.

궁금증이 많은 나의 글이 나에게 속삭인다.

"괜찮아! 항해 중인 자체만으로도 의미가 있잖아. 넓은 바다를 향해 오늘도 항해하는 너의 단단한 뒷모습에 미소 지어 본다. 고마워! 움직여 주어서."

한 자씩 써 내려가는 여정 가운데, 한 번씩 멈추어 서면 나의 글은 계속 응원해 주기도 한다.

"너의 글은 시작에 더 의미가 있어. 다시 시작해 줘. 시작도 못 한 모든 이에게 도전이 될 수 있도록 말이야."

그래서 오늘도 난, 움직여 본다.

그래서 오늘도 난, 내 글을 읽어 줄 사람들을 떠올려 본다.

그리고 나의 글처럼 사람들에게 외쳐 본다.

"여러분, 움직이세요."

18_

우리, 글 써요

백미정

'나는 씁니다. 따라서 나는 스스로 안심합니다.'

프랑스의 구조주의 철학자이자 비평가인 롤랑 바르트의 말이다. 그는 불안한 감정이 불쑥 찾아 올 때마다 글을 썼던 게 아닐까? 자신이 쓴 글이 마음에 들어서가 아니라, 글 쓰는 행위 자체가 안심되며 평온을 주기에, 감사한 마음으로 지속적인 글쓰기를 해 왔을 것이다.

'나는 글을 씁니다. 따라서 나는 내 삶의 모든 것을 받아들일 수 있습니다.'

롤랑 바르트의 말을 나만의 언어로 바꾸어 본다. 나에게 글을 잘 쓴다는 의미는 삶을 잘 살아간다는 의미와 같다. 아이들에게 사자후를 내뱉고 나서 가슴에 돌덩이를 쌓게 되던 날도, 아이들의 포옹 한 번에 세상 착한 엄마가 되던 날도, '너 같은 아들 꼭 낳아라.' 기도 아닌 기도를 하던 날도, 내가 이러다간 미치겠다 싶던 날도, 나는 글을 썼고 지금까지 살아 왔으니까.

그래서 나는, 독자들이 내 글을 읽고 삶의 목적 자체가 행복이 아니라, 살아가는 과정 자체가 이미 행복임을 깨달을 수 있도록, 인생 이야기에 진심을 다하는 작가가 되고 싶다.

나의 글이 나에게 말을 걸어온다.

"지금처럼 자신을 돌아보는 도구로 나를 늘 선택해 줘. 너의 삶은 충분히 빛나고 있으니 이젠 나와 함께 많은 사람이 빛날 수 있도록 하자."

나 또한 나의 글로 사람들에게 이렇게 말을 걸어볼 것이다.

"당신의 삶은 누군가에게 글로 읽힐 정도로 훌륭해요. 우리, 글 써요."

19_

숲과 글

홍효정

‘영 아닌 소재는 없소, 내용만 진실 된다면, 문장이 간결하고 꾸밈없다면.’

우디 앨런은 모든 것이 글의 소재가 된다고 여겼다. 글쓰기에 진심이고 진실한 글이 간결하고 꾸밈없다고 생각한다면 말이다. 우디 앨런의 말은 글쓰기 소재가 없어서 고민하는 내게 좀 더 편안하게 글 쓸 수 있는 방법을 제시해 주었다. 그리고 글쓰기에 대한 막연한 두려움도 조절할 수 있도록 도와주었다.

나에게 글을 잘 쓴다는 의미는, 가벼운 발걸음으로 숲을 산책하며 이마에 맺힌 송글송글한 땀을 식히는 휴식같이 글 쓰는 것을 뜻한다.

숲 속 땅바닥에 앉아 고개를 들어 하늘을 보는 것을 상상해 보자. 새들이 지나가며 지저귄다. 나뭇가지 사이로 솔솔 불어오는 시원한 바람이 느껴진다. 상쾌하다. 이런 마음으로 글을 쓸 수 있다는 것, 축복이다.

그래서 나는, 독자들이 내 글을 읽고 지친 몸과 마음을 자연에서 휴식하는 것과 같은 편안함을 느낄 수 있도록 도와주는 작가가 되고 싶다.

나의 글이 나의 영혼에게 말을 걸어온다.

“너는 괜찮은 거지? 네 자신이 괜찮은지 먼저 물어보고 칭찬해 줘. 지금도 충분히 잘하고 있어. 이젠 나와 함께 많은 사람을 일으켜 세우고 살리는 일을 하도록 하자.”

나 또한 나의 글로 사람들에게 이렇게 말을 걸어 볼 것이다.

“당신의 빛나는 삶을 기록으로 남기고 앞으로 삶이 더 빛날 수 있도록 함께 글 쓰는 것, 어때요?”

20_

엉덩이에 근육이 붙는 순간

경수경

글쓰기는 엉덩이와의 싸움이다.

게일 카슨 레빈의 말이다. 게일 카슨 레빈도 나처럼 분주한 일상을 살아내느라 의자에 앉아있기 힘들었나보다. 이제 글 좀 쓸까 하여 의자에 앉았다. 앉기가 무섭게 들려오는 목소리.

"원장님, 손님 오셨는데요!"

"원장님, 아이가 다쳤는데요!"

"원장님, 애기 변기가 막혔는데요!" 의자에 엉덩이를 대고 있을 수 없는 상황들이 계속 생겼다. 분주한 일상, 엉덩이 근육을 키울 물리적 시간이 턱없이 부족했던 것 같다.

하루를 48시간처럼 살아내느라 바쁜 나에게 글 쓰는 행위는 위로가 되어 주며 마음이 단단해지는 순간이다. 더불어 나에게 위로가 된 나의 글이 누군가에게도 쉼을 주기도 하며 더운 날 시원한 바람이 되어주기를 소망한다.

나에게 글을 잘 쓴다는 의미는 무엇일까?

나를 마주한다는 뜻이다. 하루 종일 시끌벅적한 유치원에서 원장님이 아닌, 남편의 아내, 아이들의 엄마, 시부모님의 며느리도 아닌, 나로 온전히 마주하게 되는 것을 느끼게 해 주는 시간이다.

그래서 나는, 내 글로 독자들에게 말을 걸어 본다.

"바쁘고 정신없고 실수투성이인 저입니다. 하지만 글 쓰는 순간만큼은 오롯이 저에게 집중할 수 있었어요. 그 때 느꼈던 충만한 감정들을 가지고 여러분의 삶 옆에 앉아 가을 햇살 같은 따뜻함을 드리고 싶어요."

아, 내 엉덩이에 근육이 붙는 순간이다.

3장

내 그대를 생각함이 : 엄마

3장. 내 그대를 생각함이 : 엄마

"엄마가 고생한 이야기를 책으로 쓰면 18권으로도 부족하다."
"니 같은 딸 낳아서 키워봐야 엄마 마음을 알지."
대한민국 엄마들의 단골대사 아니,
전설과 같은 말이지요.

여러분이 엄마에게 제일 많이 들었던 말은 무엇이었나요?

그 말에서 느껴지는 엄마의 진심을 해석해 볼까요?

그리고 엄마에게 진짜로 듣고 싶은 말은 무엇인지 써 보세요.

'합당한 목표는 감정을 동반한다.'

《사람들은 왜 스타벅스로 가는가?》의 저자, 하워드 베하의 말입니다.

엄마를 생각하며 글을 썼을 때,

무어라 표현하기 힘든 감정의 변화가 있었다면 잘 쓰신 겁니다.

글쓰기가 힘드셨다고요?

그 또한 감정을 동반했기 때문이죠.

엄마라는 존재는 정의 내리기가 힘드네요.

글쓰기처럼요.

그래서 또 우리는 글을 씁니다.

답이 없는 글쓰기를요.

01_

당신의 관절보다 나의 노안을 걱정하시는 그대에게

안영선

"너 어디여?"

엄마는 내가 집 나간 아이라도 된 것처럼 재촉하듯 물으신다. 당신 곁에 있지 않고 어디론가 사라질 것 같아서인지, 가까운 곳에 있으면 당신 좀 보러 오라고 하시는 속뜻이신지 뭐라 여쭐 틈도 없이 다짜고짜 묻기부터 하신다.

"들기름하고 참기름 짜 놨으니 가지러 와."

성격 급하신 엄마가 최대한 날 배려하며 말씀하셨다. 지금 바로 오라고 이야기하고 싶으셨을 텐데 말이다.

150센티미터도 안 되는 작은 키로 여기저기 흠이 난 사과 한 짝을 머리에 이고 지고 산을 넘어오셨다. 벌레 먹은 사과를 과수원에서 헐값에 준다기에 자식들 입에 사과 한 알 넣어주고 싶다는 일념 하나로 먼 길을 마다하지 않으셨다.

사과 궤짝 이어다 팔아 사과 먹이고, 김 좋아하는 딸 위해 백 톳을 지어다 판 돈으로 겨우내 김을 실컷 먹게 해 주신 억척이 엄마이시다.

어쩜 그렇게 귀도 밝고 눈도 밝은지 식사하다가 맛있다고 하면, 눈여

겨보시고 귀여겨들어 두셨다가 영락없이 차려주신다. 함께 먹자 해도 배부르다며 한사코 마다하신다. 그러면서도 당신은, 당신이 직접 담그신 고추장 한 숟가락, 상추 몇 장 넣고 밥에 쓱쓱 비벼 먹는 게 맛있다며 양푼 그릇을 안으신다.

나는 결혼하고 네 명의 아이를 출산했다. 참새들이 전깃줄에 나란히 앉듯 고만고만한 네 명의 아이들이 식탁에 앉은 모습을 바라만 봐도 흐뭇했다. 아이들이 입술을 모아 오물오물 음식 씹는 모습만 봐도, 맛있다며 '한 그릇 더'를 외치는 모습만 봐도, 추운 겨울 뜨끈한 국밥을 먹고 속이 든든했을 때처럼 포만감을 느꼈다. 자식 입에 들어가는 것이 내 입에 넣는 것보다 좋으니 아무래도 엄마를 품고 사는 듯하다.

23살 충북 영동 시골 아가씨였던 엄마는 4형제의 막내아들인 아버지와 중매로 결혼하셨다. 대전 도시 남자와 결혼한다는 생각에 들떠 얼굴 한 번 보지 않고 두 분은 백년가약을 맺으셨다.

아버지의 월급날이 다가오던 어느 날, 엄마는 바닥을 드러내는 쌀독의 쌀을 한 톨 한 톨 주워 담아 겨우 밥 한 그릇을 지을 수 있었다. 엄마는 출근하시는 아버지에게 김이 모락모락 오르는 흰 쌀밥 한 그릇을 챙겨 드리고, 허기를 느낄 때마다 수돗가의 물을 바가지로 들이키며 옷소매를 훔치셨다.

첫 아이를 낳았을 때도 먹은 게 없어서 젖이 나오지 않으셨다. 젖 달라고 우는 아기에게 해 줄 수 있는 건 쌀 몇 톨 넣고 쑨 허연 미음뿐이었다.

엄마를 생각하면 애달프다. 그 어린 새댁이 첫 딸에게 미음을 주면서 느꼈을 애처로움과 안타까움에 가슴이 먹먹해진다.

'내 몸은 어찌 되어도 상관없으니 우리 딸 배는 곯지 않게 해 줘야지.' 당신의 세포 하나하나에 새겼을 그 마음이 고스란히 담겨 지금의 건강한 내가 되었다.

엄마는 어린 나를 등에 업고 밭일, 논일 가릴 것 없이 닥치는 대로 일을 하셨다. 자식들에게 배고픔을 대물림하고 싶지 않아 억척스럽게 일만 하셨다. 당신 몸을 담보로 남편 뒷바라지를 하고, 삼 남매를 키우셨다. 지금도 여전히 당신의 관절보다 나의 노안을 걱정하신다.

걱정 내려놓고 숙제 다 끝낸 아이처럼 즐겁게 여기저기 마실도 다니며 좋은 것들을 누리셨으면 좋겠다.

그 옛날 당신이 이고 지고 날라다 준 양식으로 나를 키우셨으니 이젠 내가 보자기에 곱게 싸서 챙겨드려야겠다. 남편과 마트에 갔더니 야채호빵 한 박스가 눈에 띈다. 입맛 없으실 때 밥솥에 넣어 두셨다가 드시면 좋을 것 같아 사다 드렸다. 당신 마음에 드셨는지 어디서 이런 걸 샀냐며 입안에 침이 고인 채 말씀하신다. 엄마가 호빵처럼 웃으셨다. 엄마가 좋아해 주시니 내 맘도 호빵처럼 빵빵하게 부풀어 오른다.

주린 배를 끈으로 묶어가며 남편과 자식 뒷바라지하며 살아오신 엄마, 이제는 당신을 한없이 뒤로만 미뤄두지 마셨음 해요. 드시고 싶은 거 드시고, 입고 싶은 거 입으시며 잘 살아온 당신 자신을 토닥여 주시길 바라요.

엄마 사랑해요.

힘들고 어려운 순간에도 지금까지 잘 살아와 주셔서 감사합니다.

엄마의 하루하루를 축복하며 오늘도 두 손을 모읍니다.

엄마 딸 올림.

02_

엄마의 마음이 보인다

김미경

“그냥 잘 있나 전화해 봤어. 목소리 듣고 싶어서.”로 시작되는 대화.

그리고 흐느끼는 소리.

“집에 가고 싶어, 미경아.”

나는 먼 땅 미국에 있고, 엄마는 재활병원에 계신다. 10년 전 뇌출혈로 한쪽 팔다리가 마비되셨다. 코로나 때문에 돌봐줄 분을 찾을 수도 없고, 한 번 퇴원하면 병원을 옮겨야 하는데, 10년이나 된 환자를 받아주는 병원을 찾기가 힘들다. 한번은 혼자 몰래 집에 가셨다가 하룻밤 사이 큰일이 벌어져서 이제는 도저히 집에 가서 쉬시라고 할 수가 없다.

얼마 전 한국에 가서 엄마를 만났다. 짙은 매니큐어를 곱게 바르고 표범무늬 반짝이 셔츠를 좋아하던 엄마가, 이제는 세월과 병에 치여 쪼그라드신 모습에 충격을 받았다. 아들 못 낳는다고 시댁에서 멸시와 구박을 받고, 멀리 떨어져 살다 어쩌다 만나는 남편과는 싸우기 바빴기에, 엄마는 큰 딸인 나를 남편처럼 믿고 의지했다. 집안 대소사는 물론, 동생들에 대한 무한책임과 의무를 지우던 엄마.

“네가 어떻게 나를 버리고 이렇게 멀리 가서 살 수가 있어!” 하소연

하실 때마다 큰 돌덩이가 가슴을 짓눌렀다.

'엄마'라는 단어에 복합적인 감정이 올라온다. 엄마에 대한 안타까움과 애잔함, 그 인생을 어떻게 해 줄 수 없다는 무력감과 죄책감, 그리고 아무리 세월이 흘러도 끝나지 않는 엄마의 슬픔과 원망, 근심과 걱정의 고리 속에서 질식해 버릴 것 같았다. 아빠와 싸우고 나면 집 나가겠다고 몇 번이고 짐을 싸실 때, 차라리 엄마가 집을 나가셔서 그 지겨운 전쟁이 끝나길 바라기도 했다.

그러나 이제 엄마의 인생을 생각한다. 못 배우고 가난하고, 남편 사랑도 못 받고, 며느리로서 존중받지 못했던 엄마. 엄마도 나처럼 믿고 의지할 사람이 없어서 딸이라도 믿고 의지한 거구나. 그 딸이 참 무뚝뚝하고 매정해서 결국에는 자기 인생 살겠다고 떠나고, 그렇게 싸우던 남편도 떠나고, 본인 다리로 마음껏 돌아다닐 수도 없는 지경이 이르렀구나.

이제 세 아이의 엄마가 되니 차마 자식을 버리고 갈 수 없었던 엄마의 심정이 조금은 헤아려진다. 엄마라는 자리를 버리지 않고 지키기 위해 희생과 고생을 선택한 엄마를 생각한다. 엄마가 버티셨기 때문에 그나마 우리 4남매가 엄마 없는 자식으로 자라지 않을 수 있었다.

엄마에게 말하고 싶다.

엄마,

나는 엄마의 슬픔과 고통을 다 이해할 수 없어. 다 이해하고 마음으로 받아들이면 내가 너무 힘들어서 피하고 있는지도 몰라.

동생들이랑 나 버리지 않고 키워줘서 고마워.

몸도 마음도 너무 힘들지? 그래도 이제는 지난날을 곱씹으며 고통 속에서 살지 않았으면 좋겠어. 앞으로 남은 인생만 생각하고 밝고 행복하게 살자.

엄마를 위해 늘 기도할게. 사랑해, 엄마.

아기는 엄마를 사랑해요

김영주

"아가, 아픈 데는 없어? 건강 잘 챙기고 나중에 만나자."

엄마는 아직도 나를 '아가'라고 부르고 있었는데 나는 그것을 얼마 전에야 깨달았다. 이제는 나도 다른 사람들처럼 '늙어간다'라는 말이 어울리는 나이가 되었는데도 엄마 눈에는 마냥 아가인가 보다.

천식으로 숨이 가빠지면 쇳소리를 내며 흡입기를 꺼내 드는 엄마는 오늘도 집을 나섰겠지. 그래도 아직 일할 수 있을 만큼 건강하고, 일할 수 있는 곳이 있어 감사하다는 엄마. 그렇게 일하며 차곡차곡 모은 돈을 뚝 떼어 해외 파견으로 출국하는 나에게 선뜻 내어주셨다.

학창 시절 나는 학교가 끝나고 집에 돌아오면 엄마가 아닌 아빠가 있었다. 나는 왜 남들처럼 엄마가 반겨주지 않는지, 왜 엄마가 챙겨주는 간식을 먹을 수 없는지, 왜 엄마는 내 생일날 친구들을 초대하여 엄마가 만든 맛난 음식으로 생일상을 차려주지 않는지 너무 속상하고 화가 났다. 그래서 나는 이 모든 걸 다 해주는 엄마가 될 거라 다짐했지만 나는 내 엄마보다 더 못 해주는 엄마가 되어 있다.

엄마의 지난 이야기를 듣노라면 까칠한 대장부 같은 모습이 있다. 엄마 입맛이 까다로워서 외할아버지는 엄마가 좋아하는 것을 사러 다니셨고 외할머니는 그것을 맛있게 요리하셨단다. 그리 까칠했던 엄마는 장애인 아빠를 만나 150cm가 조금 넘는 키로 아빠를 업고 다니셨다. 그래도 엄마는 힘들다는 말 한 마디 하지 않으셨다. 엄마는 아프지 않은 줄 알았다. 수술이 끝나고 치료가 끝난 후에야 힘들었노라 말씀하셨다.

지금 내 나이보다 어린 엄마는 아빠의 병간호를 하다가 아빠를 하늘로 보내드렸다. 그 때 내 나이 열다섯, 남동생은 열 한 살이었다. 그렇게 아빠를 떠나보내고 엄마는 천식이 생겨 일할 수가 없었고 우리가 살던 지역은 재개발 지역이 되어 다른 곳으로 이사를 해야 했다. 수많은 일들로 인해 감당하기 힘든 빚을 지게 되었다. 그 빚을 갚기 위해 어떤 일도 마다하지 않았던 엄마를 생각하면 내 마음은 아리다.

곧은 대나무처럼 꼿꼿하고 당당하고, 씩씩하게만 느껴졌던 엄마가 맑고 밝은 아기의 웃음처럼 환한 모습이 되면 좋겠다. 예쁜 옷을 입고 맛있는 것을 먹으며 하고 싶은 것을 할 수 있는 여유 있는 삶을 사셨으면 좋겠다.

착한 것 같으면서 착하지 않았던 딸인데 그래도 사람들에게 자랑삼아 준 엄마, 고마워. 마음과 다르게 퉁명스레 말해도 다 헤아려 들어주고, 살갑지 않아도 서운하지 않은 척해주느라 힘들었지? 아파도 아프다고 말하지 않고 그 시간을 견디느라 고생했어요. 자주 연락하지 않아도 늘 엄마 생각하고 있는 거 알지? 고맙고 또 고맙고, 사랑하고 또 사랑해요.

04_

말하지 못해 후회하고 말하면 상처 될 것 같은 우리 이야기

김연정

"애들 밥은 먹여 보냈어? 먹었다고 다 밥이 아닌데. 건강이 얼마나 중요한데. . ." 엄마는 또 말끝을 흐리며 여운 속 걱정을 남긴다.

자식은 아무리 나이가 들어도 물가에 내 놓은 아이 같다지만 '대장부' 엄마가 늘 나에게만 이토록 걱정 많은 잔소리꾼이 되는 걸 보면, 내 삶의 전 영역에 엄마의 손길이 닿지 않는 곳이 없었음을 실감한다.

엄마는, 밤이나 낮이나 자신보다 타인의 삶을 위해 사셨다. 스물이 갓 넘은 꽃다운 나이에 아버지와의 사랑을 택하셨고 나를 낳아 '책임'이라는 단어 앞에 무릎 꿇고 평생을 억척같이 살아온 엄마의 삶을 안다.

애써 엄마의 삶을 곱씹고 싶지 않았던, 엄마를 이해하기보다 엄마의 삶처럼 살지 않으리라 다짐했던 지난날의 못난 내 모습이 파노라마처럼 지나간다. 이제야 되뇌여본다.

'엄마는 참 외로운 싸움을 해왔겠구나.'

엄마가 이해되는 순간이 오는걸 보니 나도 늙어가는 중인가 보다. 그렇게도 닮기 싫어했던 엄마의 모습을 내 삶의 일부분으로 살아내고 있다. 사람들에게 '엄마랑 똑같다'는 말을 수없이 듣는다. 말투도 어찌 그리 닮았냐는 소리에 입을 삐쭉 내밀다가도 이내 인정한다.

엄마와 마주앉아 이야기를 해 본 기억이 없다. 단 한 번도 없다는 것이 진심이다.

"에이, 정말?" 사람들이 반문한다 해도 맞다. 정말 단 한 번도 없다. 마음을 터놓고 내 마음을 말 한 적도, 엄마의 굴곡진 인생사를 대화거리로 삼아본 적도 없다. 설사 그렇다 한들, 울음으로 마무리 되거나 감정에 복받쳐 말을 이어가지 못하리라. 그 끝을 너무 잘 알기에 시작조차 못하는 사이, 그게 엄마와 나의 사이다. 말하지 못해 후회하고 말하면 상처 될 것 같은 이야기들.

엄마의 세월이 내게는 아픔이었다. 엄마의 젊음을 모두 쏟아 부어 이루어 낸 시절. 걸음마를 하면서부터 나는 철저히 홀로이기를 훈련받았고 잘한 것에 대해 칭찬받기보다 더 잘 할 것을 요구받았다. 하지만 그런 엄마의 훈련이 있었기에 나에게는 엄격한, 타인에게는 겸손한 마음으로 살아내고 있으리라.

엄마의 삶을 통째로 갈아 넣어 만든 과거, 현재 그리고 앞으로의 시간을 알기에 숙연해질 뿐이다.

엄마,

엄마의 시계는 '나'라는 작품을 탄생 시켰어.

고생 많았어 엄마.

"친구랑 여행 갔다 올게." 엄마에게 듣고 싶은 말이야.

엄마 한 몸 챙기기도 힘들었던 세월 속에 나를 버리지 않고 잘 키워줘서 고마워. 꽃다운 어린 나이에 감당하기 어려웠을 삶의 무게를 고스란히 껴안았을 엄마를 떠올려봐.

감당하기 벅찼을 가난한 삶 속에 아빠의 뒷바라지와 엄마한테서 떨어지지 않으려 화장실조차 가지 못하게 엄마 치맛자락을 그렇게나 붙잡았던 나를 껴안아 키워줘서 감사해요.

늘 뒤에서 내 칭찬하는 엄마인 거 알아. 나에겐 엄격하고 겸손한 마음으로 씩씩하게 살아낼게.

눈부시게 빛날 엄마의 삶을 응원해요.

고맙고 사랑해요.

부디, 너무 늦지 않은 어느 날에

손경민

오래된 밥솥에서 나는 소리는 어딘지 모르게 답답하다. 아직도 김이 남아 있다고나 할까, 그 둔탁하고 익숙한 소리에 잠이 깨어 부엌으로 나간다. 초점 없는 눈빛으로 밥을 하는 엄마의 모습에서 하루의 활기 따윈 찾을 수 없다. 손발은 퉁퉁 부었고 얼굴은 산을 지키는 바위 같다.

“잘 잤니?” 같은 말은 기대하지도 않았다. 고개를 돌려 ‘나를 한 번쯤 쳐다봐 주겠지’ 생각했다. 그것마저 욕심이었나 보다. 둔탁하고 누렇게 굳어버린 손으로 만든 도시락을 들고 집을 나설 때면 도시락의 무게에 내 온몸이 짓눌리는 듯했다.

무사히 밤이 지나가길 바라고 또 바랐지만, 엄마의 얼굴에는 또 하나의 상처를 남겼다. 분노와 슬픔이 가득한 밤을 지나 그 상처와 마주하는 순간, 나는 이 세상에서 가장 쓸모없는 사람이 되었다. 두렵고 무섭지 않았다. 그저 살아있는 것이 부끄러웠고 숨을 쉬고 있는 내가 미치도록 미웠다.

“미역국은 먹었나?”

좋아하지도 않는 미역국 따위를 끓이고 있을 딸이 아님을 엄마는 알 것이다. 아무리 바빠도 아빠를 위해 정성스러운 반찬에 온갖 약재를 넣은 신비로운 물까지 대령하던 엄마는 사십이 넘은 딸 생일에 미역국이 제일 걱정인가 보다.

엄마는 아직도 쉬지 못한다. 종일 반찬가게에서 일한다. 나름 인정받으며 일한다고 하지만 돈이 적다고 불평하지 않고 소처럼 일해주니 입으로 몇 마디 칭찬해주는 것쯤이야 뭐가 어려울까. 근로법 위반이라는 둥, 엄마는 언제까지 그렇게 당하고만 살 거냐는 둥 입으로는 세상 제일 잘난 철없는 첫째 딸은 언제나 말뿐이다.

밤낮없이 일하는 엄마의 고된 삶은 아빠에 대한 식을 줄 모르는 분노와 나의 무력감을 동시에 자극하기 충분했고 나는 그 모습을 있는 그대로 직면하기 힘들었다.

엄마랑 딸은 많이 닮는다고 한다. 난 그 말이 죽도록 싫었다. 엄마처럼 살기 싫어 아이도 한 명만 낳았다. 아빠 같은 남편을 두게 될까 다른 모습의 사람을 찾았다고 생각하며 결혼했다. 밥하고 시어머니 모시고 사는 모습이 누구 같아 집안일도 내려놓고 분가도 했다. 이런다고 뭐가 달라지겠는가? 내 나름대로 발버둥이었다고 합리화 중이다.

어린 시절 엄마는 극 외향형의 사람이었다. 노래하고 춤추고 사람들하고 어울리는 것을 좋아했다. 오래된 앨범 속 엄마가 춤추고 있는 모습을 보며 처음 보는 사람인 듯 그 사진에서 눈을 뗄 수 없었다.

동네에서 툭 하면 싸움이 일어났다. 엄마도 없는 집에 아줌마들이 우르르 몰려와 어린 나에게 엄마 욕을 하고 간 적도 있었다. 그래도 그 시절 엄마는 생생하게 살아있었다.

IMF 이후 엄마에게서 어떤 희망도, 어떤 두려움도, 어떤 분노도 느껴지지 않았다. 벽 앞에 선 듯한 답답함이 또 나를 화나게 했다. 엄마는 언젠가부터 짧은 목줄에 매달린 강아지 같았다. 그저 개 집 앞을 서성일 수밖에 없었을 것이다. 무엇이든 해 보려고 노력했을 것이다. 그러나 결국 다시 제자리였고 그 목줄을 인정하고 말았을 것이다.

엄마가 눈부시게 살아가길 바란다.
하루하루 살아가는 것에 대한 걱정이 사라지길 바란다.
반찬가게에서 굽신 거리는 대신 당당히 홀로 빛나길 바란다.
예전의 자기 모습을 다시 찾길 바란다.
돌 같이 굳어있는 모습이 아닌 생생하게 살아있길 바란다.

엄마,

상처 위에 딱지가 앉을 새도 없이 모진 말만 퍼붓는 딸이라 미안해.

엄마의 상처를 마주하는 것은 나의 모자람과 흠을 바라보는 것 같았어.

딱지로 덮어버리기엔 아직 엄마와 해야 할 이야기가 많은 것 같아.

부디 너무 늦지 않은 어느 날, 나에게 그런 용기가 생기길 바라.

상처를 헤집어 울고 웃을 수 있는 날,

엄마는 더 엄마다워지고 나는 더 나다워 질 거야.

소중한 우리 엄마, 우리에게 닥친 이 겨울 잘 이겨 내보자.

눈부신 봄을 맞이할 수 있게.

내 엄마로 살아줘서 고마워

전은숙

2012년 엄마가 돌아가신 그해 겨울,

"은숙아, 생일 축하해! 미역국은 먹었어?"하는 엄마의 목소리를 들을 수 없던 내 생일 아침, 서럽게 울었던 기억이 난다. 한참 울고 나니 돌아가신 엄마를 위해서 운 게 아니라, 엄마 없는 나를 위해 그리 슬프게도 울었던 것이 미안했다.

살아생전, 통화 끝에 꼭 덧붙이는 말씀이 있었다.

"남편 잘 챙기고 애들 때리지 말고 공부 좀 그만하러 다녀." 엄마의 '공부 좀 그만하라'는 말이 한동안은 꽤 서운했는데 지금 와서 자세히 들여다보니 '살림도 하고 애들 키우면서 힘들지 않냐?' 소리였던 것을 알아차린다.

엄마, 내가 왜 공부하러 다녔게?

나는 엄마처럼 안 살려고. 한 달에 한두 번은 동네가 떠들썩하게 부부싸움을 하고 나서 그 화풀이를 자식들에게 하는 엄마처럼은 안 살려고 부모교육도 쫓아다니고 책도 보며, 학교도 다니고 그랬어.

그런데 내가 첫 아이 낳고 얼마 안 되었을 때 엄마가 해 주었던 말이 마음에 크게 자리 잡고 있어.

"엄마가 정말 미안해. 너 어렸을 때 엄마가 욕하고 때리면서 키워서 정말 미안해. 그리고 사랑해." 엄마가 얼마나 용기 내서 한 말이었을까. 감동이기도 했고 큰 위로가 되는 말이기도 했어.

엄마, 내가 그때 제대로 답하지 못했는데 이제야 내 마음 전해.

미안하다고 말해준 엄마, 고마워. 여자로 한 사람으로 고단한 삶이었는데도 도망치지 않고 내 엄마로 살아줘서 고마워. 나도 엄마 사랑해.

오늘은 눈물나게 보고 싶은 울 엄마, 이정순 여사에게

당신의 딸 은숙이가

지금도 변함없는, 부족한 그 말

송지은

“지은아, 사는 게 왜 이리 바쁘노? 애들은 왔나? 그냥 전화해 봤다.”

연세 칠십이 되도록 쉼 없이 달려오신 엄마의 삶. 이제는 여유를 누릴 때도 되셨건만 현실은 그렇지 못하다. 수화기 너머로 전해지는 엄마의 말 속에 ‘자주 통화하고 싶은데 너도 그렇게 사는 게 바쁘니? 왜 전화 한 통 없니?’하는 서운한 마음이 느껴진다.

지금쯤 다섯 살 쌍둥이와 일곱 살 개구쟁이 손자를 돌보느라 정신없으시겠지? 8년 전 엄마는 정년퇴직과 동시에, 입덧으로 힘들어하던 나를 도와주시기 위해 우리 집으로 출근 하셨는데 지금은 언니네 세 아이들을 봐주느라 여력이 없으시다.

육남매 중 장녀의 숙명인 듯 짧은 학력을 속상해하시고 학교에 부모님의 학력을 적어낼 때면 늘 나에게 미안해 하셨다. 형편상 학교를 일찍 그만두고 친척집에서 지내면서도 어두운 밤 들키지 않으려고 이불을 뒤집어쓰고 공부를 하셨다고 했다. 배움에 목말라하셨던 엄마 이야기를 듣고 자라서일까? 나는 취직하고 두 아이의 엄마가 되어 휴직 중에도 끊임없이 뭔가를 배우느라 바쁜 시간을 보내고 있다.

어깨까지 내려오던 생머리. 어릴 때 내 사진과 쌍둥이처럼 닮아 있던 엄마의 20대 증명사진. 세월이 가도 늙지 않으실 것만 같았는데 언제부턴가 염색하는 것도 힘들다며 곱슬거리는 흰 머리카락을 쓸어내리신다.

4형제 중 장남과 결혼하여 두 딸만 낳은 며느리로서의 서러움을 45년 세월 속에 묻어놓으셨다. 빨리 두 자식을 결혼시키고 해방되고 싶으셨을 텐데 자유는커녕 결혼한 딸네 식구들까지 돌보느라 오늘도 출퇴근을 하신다.

집→회사→집, 집→딸네→집을 오가느라 삶의 쉼표하나 찍을 여유 없이 살아오신 엄마다. 비행기를 싫어하시니 꼭 먼 곳 여행이 아니어도 '엄마 산책 좀 다녀올게!'하고 나무와 꽃, 바람, 햇살을 즐길 수 있는 여유도 누리셨으면 좋겠다.

엄마.

딸만 낳은 며느리로서의 서러움을, 누구보다 애들 더 잘 키우겠다는 굳건한 의지로 이겨내 주셔서 고마워요. "뭐하냐?"는 엄마 물음에 퉁명스럽게 전화 받는 저이지만 사실은 자주 안부전화 드리지 못하는 미안한 마음 때문이었어요.

늘 미안하고 고마운 엄마.

바쁜 생활 중에서도 건강하게 지내주셔서 참 감사합니다. 언제나 자식들에게 최선을 다하신 엄마, 그동안 말씀은 못 드렸지만 저는 엄마가 항상 자랑스럽습니다. 초등학교 졸업장이 중요한가요? 언니와 저 그리고 손자, 손녀들에게 엄마는 어느 선생님보다 한글을 더 잘 가르쳐주셨어요.

백화점 청소를 하시면서도 친절한 직원으로 인정받으시고, 매일 아침 녹즙과 매년 김장김치며 우리 집 각종 장들을 손수 만드시곤 했던 엄마.

편한 직장 생활하면서도 엄마처럼 부지런하진 못하지만 항상 저의 본보기가 되어주셔서 감사합니다.

기억해주세요.

엄만 저에게 항상 최고의 엄마였고 그 사실은 지금도 변함이 없습니다.

사랑합니다.

사랑합니다.

백 번을 말해도 부족한 그 말.

사랑합니다. 엄마.

08_

서로에게 참 좋은 사이

진수민

"민아야, 어디고? 밖이가? 바쁘나? 집에 감이 많이 들어왔다. 경비 아저씨가 농사지은 감이란다. 크고 맛있다. 가져가서 좀 먹어라."

엄마는 아이처럼 신이 나 있다. 선물 받은 기쁨을 고스란히 딸에게 전해주고 싶은가 보다. 주변에 엄마를 챙기는 사람들이 있다. 엄마는 건재하다고 들린다.

우리 엄마는 엄마보단 형이라고 부르고 싶을 정도로 묵직하고, 씩씩하다. 그리고 한결같다. 내 학창시절 매일 아침 인삼 주스를 갈아주셨고 아침밥을 저녁밥처럼 푸짐하게 차려주셨다. 20년 넘게 새벽 수영을 다니셨고 몇 해 전부터는 취미로 그림을 그리고 계신다. 무뚝뚝한 말투와는 달리 엄마의 그림은 놀라울 정도로 따뜻하고 섬세하다. "요즘엔 뭘 그려요?"라고 물어보는 내 말을 무척이나 반가워하신다.

엄마는 나에게 화내거나 잔소리를 별로 한 적이 없지만, 칭찬 또한 박했다. 칭찬이 고팠던 나는 엄마가 참 야속했다. 엄마 눈에 들기 위해 애써보아도 항상 역부족인 것 같고 엄마 마음을 채우는 건 쉽지 않아 보였다. 오직 똑똑하고 귀여운 남동생만이 엄마를 웃게 해줄 수 있었다.

6살 때 나는 엄마랑 잠시라도 떨어지기 싫어서 유치원을 가지 않겠다고 울고불고 매달렸다.

"얘가 왜 이러노 진짜." 하며 엄마는 나를 떼어놨다. 엄마와 늘 함께하고 싶다는 생각을 내가 커오는 내내 한 것 같다.

엄마가 학교에 오는 날은 자랑스러웠다. 엄마는 누구보다 예쁘고, 세련되었다. 나는 엄마가 어렵기도 하지만 참 좋았다. 엄마는 그때나 지금이나 참 예쁘다. 물론 살도 많이 찌고 주름도 늘었지만, 오히려 전보다 눈에선 빛이 나고 즐거움이 넘친다.

처음으로 엄마에게 아이 셋을 맡기고 부부 여행을 갔다. 큰 애가 열네 살이었다. 왜 이런 부탁이 힘들었을까. 부탁이 어려운 내 마음의 문제였을까, 엄마가 워낙 바빠서였을까. 그런데 막상 맡겨보니 홀가분해졌다. 엄마도 나도 마음의 여유가 좀 생겼다. 오래 걸리긴 했지만, 시작이 어려운 거였다.

"민아야, 여자는 항상 배우고 일해야 한다. 사람을 적으로 두면 안 된다." 엄마는 아빠와 의견충돌로 힘들 때면, 끝까지 싸우고 해결을 보는 쪽보다 흘려보내는 쪽을 택했다. 그런 엄마를 보며 답답하기도 했다. 하지만 엄마가 옳았다. 어떤 일들은 매듭을 짓고 싶어도 지을 수 없다는 걸 깨달았다.

온전히 내 편이었던 외할머니, 엄마의 어머니셨던 외할머니가 얼마 전에 돌아가셨다. 이제 내가 엄마의 엄마가 되어 줄 차례다. 나도 흰머리가 늘고 엄마와 함께 늙어간다. 나에게 참 좋은 어른인 엄마가 있어 다행이다. 그저 존재만으로 황홀하다.

엄마,

나를 낳아주고 키워주셔서 고맙습니다.

이제야 조금, 엄마의 마음을 알겠어요.

엄마는 저에게 거의 화낸 적이 없어요.

저는 그게 관심이 없어서라고 생각했죠.

그런데 예민한 아이 셋을 키우는 엄마가 되고 보니

어쩌면 나도 어릴 때 이렇게 엄마를 힘들게 하지 않았을까, 라는 생각이 들어요.

저도 아이들에게 화를 많이 내지 않아요.

엄마 덕분이에요.

가끔 화병이 나서 죽겠다 싶을 때는

무식하게 참는 게 엄마를 닮았다며 속으로 웃기도 해요.

엄마가 나에게 관심이 없었던 게 아니라 지켜봐 준 거였어요.

저는 묵묵하고 한결같은 엄마가 참 존경스러워요.

엄마처럼 늙고 싶어요.

엄마가 항상 저에게 해주는 말이죠.

'네가 있어 참 좋다.'

저는 엄마가 있어 참 좋아요.

사랑합니다.

09_

어디에 마음을 두고 사셨을까

이 성 화

엄마는 나에게 어떤 말을 자주 했던가?

잘 기억이 나질 않는다.

살아계신다면 당장 찾아가서 나에게 어떤 말을 해주고 싶은지 물어보고 싶다.

나에게 있어 엄마는 늘 아파서 누워 계시거나 힘없이 있는 모습으로 기억된다.

엄마가 아프다는 말은 나를 물먹은 솜처럼 밑으로 가라앉혔다. 혈액투석을 하고 오시면 몸 상태가 안 좋으니 누워계셨고 마음대로 할 수 없으니 짜증을 내셨다. 아마도 힘들어서 나에게 하소연을 하고 싶었을 것이다. 갈수록 까매지는 얼굴, 왼쪽 팔뚝의 불거진 인조혈관 그 위로 늘어지는 살. 지혈을 위해 붙여놓은 밴드를 뗄 때는 늘어진 피부도 헝겊처럼 따라 올라왔다.

이런 엄마에게는 무엇이 제일 안식처가 되었을까? 어쩌다 나와 둘이 예배를 드리면 막 우셨다. 엄마는 늘 자기 아픔만 아는 것 같았다. 세상 물정 모르며 아픈 걸 알아달라는 아이처럼 칭얼거리는 모습이 짜증나기도 했다. 그 때문에 아빠도 힘드셨을 것 같다. 하지만 나 역시 내가 힘들고 귀찮으면 모든 걸 뒤로 하고 누워버린다. 내 마음이 편해질 때까지. 물론 엄마는 그러진 않았다. 엄마는 힘들어서 불평불만을 입으로 쏟아내면서도 밥하고 빨래하며 청소를 하셨다. 난 그 잔소리가 지겨웠다.

사진 속 시집가는 엄마는 탄탄하고 탱탱한 피부를 지닌 미모의 여인이었다. 내가 초등학교 때는 원피스도 잘 입으시고 간식으로 빵도 직접 만들어 주시고 약관에서 늘 1박스씩 과일을 사 오셨다. 우리 뒤치다꺼리하시며 평생을 그렇게 사셨다.

서울로 오빠를 대학 보내고 들통에 김치를 담아 기차와 전철을 타며 계단을 오르락내리락할 때 팔뚝이 아파 혼났다는 얘기도 하셨다. 어느새 세월이 흘러 주름진 얼굴과 앙상해진 다리 오른쪽 엄지발톱이 까맣게 멍들고 왼쪽 엄지발가락이 튀어나오다 휘어져 버렸다.

엄마의 세월 79년 동안 병치레를 하면서 7남매를 키우셨다. 아침마다 동그란 큰상도 부족해 작은 상까지 둘러앉아 식사하고 동생들까지 도시락을 싸던 시절. 참 힘들었겠다. 하루가 멀다고 드러눕거나 병원에 입원하는 일이 비일비재했다. 어렸을 적엔 아프지 말라고 굿을 하기도 했다. 난 이런 엄마에게 하고 싶은 말이 있었다.

엄마, 늘 환하게 웃어주었으면 좋겠어.
우리가 가면 환하게 웃으며 반갑게 "어서 와라. 몸은 괜찮니? 힘든 건 없니?" 이런 걸 물어봐 줬으면 좋겠어.
엄마! 근데 지금 와서 생각해보니까 엄마에게 너무 미안했어. 정말 미안해.
엄마가 아프다고 할 때마다 듣기 싫고 짜증이 나서 모르는 척했는데 고통을 이해하지 못했던 것 같아. 나도 나이 들어보니 엄마가 얼마나 힘들었을지 조금은 알 것 같아.
아프면 몸도 마음도 연약해져서 누군가에게 의지하고 싶어질 텐데 남편도 자식도 그걸 다 이해하지 못했으니 어디에 마음을 두고 사셨을까?
엄마의 고통을 같이 안아드리지 못해 미안해요.
엄마, 그동안 정말 고생 많으셨고 고마웠어요.
이만큼 잘 키워주셨으니 남은 인생 잘 살아갈게요.
그곳에서는 즐겁고 평온하게 환한 웃음으로 살고 계시죠! 다시 만날 때까지 안녕히 계세요. 당신의 아픔까지 사랑하는 성숙한 딸이 되어 갈게요.
지켜봐 주세요.

온몸을 땅에 의지한 채, 시간이 흐를수록 커지는 것

최덕분

"덕분아, 밥 먹었냐? 지금도 공부하고 있어?" 엄마의 크나큰 전화 목소리.

'밥 먹었냐.' 말 한마디가 새끼를 찾아 헤매는 어미 개처럼 아리게 들린다.

'너랑 함께 따뜻한 밥 먹고 싶어.' 그리움이 가득 담긴 엄마의 속마음을 대변한 것 같다.

엄마는 어느새 90세가 되어 가신다. 점점 청력을 잃어 가시는 엄마와 소통이 힘들다. 오른쪽 어깨가 아파 식사하시기에 불편하다. 몇 개 남지 않은 이로 좋아하시는 짜장면을 드실 때면 다 흘러내린다. 온몸의 관절은 힘을 잃고, 허리와 다리가 아파 지팡이를 의지하는 울 엄마의 모습.

해마다 김장철이 되면 딸의 김치 걱정을 하신다. 성하지 않은 몸으로 앞마당에 있는 텃밭에 배추, 대파, 쪽파, 양파, 마늘을 심어놓고 온몸을 땅에 의지한 채 풀도 뽑으신다. 언제나 엄마의 옷과 집안은 흙으로 가득하다. 혹여나 자식들의 전화가 오지 않을까, 딸들이 찾아오지 않을까, 오늘도 기다리고 기다리시는 엄마의 모습이 먹먹하다.

엄마는 시집오기 전 외할아버지께 남다른 교육을 받으셨다고 한다. '어른 공경하기, 음식 나눠 먹기'를 어려서부터 배우셨던 엄마는 딸들에게도 가르침을 주셨다. 홀로 되신 엄마는 딸 넷에게 말과 행동으로 뒷모습을 보여주셨다. 시어머니를 지극히 공경하시는 모습으로 '효부상'을 타셨던 엄마에게 받은 가르침 네 가지가 있다.

'시부모님 공경하기, 나눔의 마음, 배움의 자세, 돈을 사용하는 지혜'를 네 자매에게 물려주신 엄마 덕분에 나는 1인 기업가 '고마워 디자이너'가 될 수 있었다. 엄마의 삶을 본받아 시어머니를 정성과 사랑으로 보살펴 드리려 노력했다. 엄마가 그 무엇보다 강조하셨던 '시어머니 사랑하기'를 내 삶으로 보여주면서 남편과 자녀들에게 인정받은 내가 되었다.

"당신은 진짜 고디(고마워 디자이너) 맞네. 여보, 고마워." 남편이 내게 들려준 말이었다.

어려서부터 보아온 엄마의 뒷모습은 제2의 직업으로 나의 브랜딩에 영향을 주셨다.

"엄마, 참으로 고마워요. 모두 엄마 덕분이에요. 사랑해요, 엄마."

곱디고운 엄마는 22살에 아빠와 결혼하셨다. 결혼 후 엄마는 기구한 인생이 기다리고 있었다.

엄마의 삶에 네 명의 인연들과 사별이 예정되어 있었다. '아들 둘, 딸

하나, 남편'을 일찍이 저세상에 보낸 나이가 불과 34세였다. 임신 8개월이었던 자신의 몸뚱어리, 홀시어머니, 딸 셋을 감당하셔야 했다. 가족의 생계를 유지하기 위해 밤낮을 가리지 않고 품앗이와 농사일을 하셔야 했다. 당신의 몸을 돌볼 여유도 없이 홀로 50년의 세월을 살아오셨다. 이젠 온몸에 쭈글쭈글한 주름이 가득하고 점점 작아지시는 울 엄마. 그러나 시간이 흐를수록 커지는 것은 '자식 사랑'뿐이었다.

남편도 없이 모든 걸 혼자 감당해야 했던 엄마.

얼마나 많이 외로웠을까?

얼마나 많이 힘들었을까?

얼마나 많이 아팠을까?

맛있는 음식도 마음껏 드시지 못하는 엄마. 예쁜 옷도 제대로 사지 못하시는 엄마.

당신에게 단 1원이라도 아껴서 자식을 챙기시는 엄마. 당신보다 딸의 인생을 걱정하며 하나라도 더 챙겨주시려는 엄마의 삶을 볼 때면 아리고 아려온다.

엄마의 남은 인생이 눈부시면 좋겠다. 어둡던 세월이었지만 밝은 빛으로 환한 여생이 되었으면 좋겠다. 가끔씩 엄마는 기분이 좋을 때 두 팔과 고개를 흔들며 춤을 추시고는 한다. 딸들 맛있는 음식을 드실 때 환한 미소의 여주인공이 되신다.

이젠 마음껏 당신의 삶을 즐기시길 원한다. 따뜻한 보일러도 아끼지 말고 마음껏 틀어놓고 따끈하게 주무시길 소망한다. 딸과 식사를 할 때 거절하지 않고 함께 맛있게 먹었으면 참으로 좋겠다. 그 무엇보다도 엄마의 마지막 순간에 평온함과 행복함으로 가시길 간절히 기도한다.

"덕분아, 그동안 고마웠다. 이젠 마음 놓고 기다리고 있는 아빠에게 갈게. 행복했다. 사랑해." 엄마의 마지막 순간에 듣고 싶은 간절한 말이다.

사랑하고 사랑하는 나의 엄마, 백옥순 여사님.

엄마, 홀로 살아오시면서 많이 힘드시고 외로우셨죠. 나약한 여자의 몸으로 온갖 시련을 다 겪으시며 우리 인생의 바람막이가 되어 주신 엄마. '엄마'를 마음껏 부를 수 있도록 살아계셔 주셔서 참으로 고맙고 감사해요.

모든 걸 희생하시고 아낌없는 사랑을 주신 백옥순 여사님.

손수 참깨를 심고 수확하여 참기름 한 병을 만들어주신 엄마, 고마워요.

볶은 참깨까지 건네주시는 백옥순 여사님의 사랑, 참으로 고마워요.

엄마, 이젠 김치 걱정하지 마시고 두 다리 쭈욱 뻗고 편히 쉬세요. 올해도 엄마의 사랑이 가득 묻어 있는 김장김치 맛있게 먹고 건강할게요.

엄마, 사랑하는 나의 엄마 백옥순 여사님을 존경합니다. 축복합니다.

그리고 사랑합니다.

엄마가 주신 사랑은 눈부시고 눈부신 보석이었어요. 고마워요 엄마.

11_

엄마 그리고 음식

전숙향

“입의 말을 다 들으면 천석(千石)꾼도 하루아침이다.”

귀에 딱지가 앉을 정도로 엄마에게 들었던 말이다. 이 말을 들을 때마다 내 마음은 말린 대추처럼 쪼그라들곤 했었다.

생전에 엄마는 자식들과 외식하러 가시면 밑반찬이나 샐러드로 배를 채우시고 본 요리는 아까워서 거의 못 드셨다. 당신 자식들이 음식이 모자라거나 음식값이 많이 나올까 봐 “배가 부르다.”며 수저를 먼저 놓으시곤 하셨다. 그런 모습을 볼 때마다 창피하고 화도 많이 나곤 했었는데 나중에는 그냥 모른 척해버렸다. 그러나 엄마가 타인에게 대접을 받는 상황이 되면 태도가 바뀌셨다. 그런 장소에 가실 때면 공(公)과 사(私)를 막론하고 자식 중 누구라도 데리고 가고 싶어 하셨는데 나중까지도 맏딸인 내가 가장 많이 따라다녔었다. 그럴 때면 엄마는 흡족해하시곤 하셨다.

먹고 싶은 것은 고사하고 맨밥조차 맘껏 먹을 수 없었던 가난한 세대를 사신 엄마는, 먹을 것이 넘쳐나고 먹는 일에만 관심을 두는 요즘의

'먹방' 세대를 부러워하면서도 한탄하시곤 하셨다. 그리고 음식 버리는 것을 '죄'라며 극히 싫어하셨다.

"난, 절대 엄마처럼 살지 않을 거야."라고 몸부림을 치며 자부하고 있었지만, 아들로부터 "할머니와 똑같다."라는 소리를 들을 때면 아연실색하게 된다. 나는 엄마를 이해하며 화를 냈지만, 아들은 나를 전혀 이해하지 못하니 갈등의 시작이다. "음식 쓰레기를 왜 몸에 버려요?" 아들의 틀린 말은 아니지만, 멀쩡한 음식들이 버려지는 것을 볼 때면 땡감을 씹는 느낌이 든다. 그래서 나는 뷔페식당을 좋아하지 않는다.

낀 세대(기성세대와 신세대 사이에 있는 세대를 비유적으로 이르는 말)를 살아가고 있는 나의 요즘은, 그동안 잘못된 식습관의 결과를 온몸으로 체험하며 회환에 젖고 있다.

아직도 음식 앞에만 서면 작아지는 내 모습이 보이고 남은 음식은 나에게 아픔으로 다가올 때가 있다. 어린 시절 밥상머리에서 눈치를 볼 수밖에 없었던 아린 감정에서 온전히 벗어나지 못한 것일까?

'넌, 하나님이 주신 가장 귀한 존재야. 그러니 네 몸에도 귀하고 좋은 것으로 채우렴.'하고 나에게 다짐하는 것을 순간순간 연습 중이다.

"넌, 절대 나처럼 살지 말아라!" 엄마에게 가장 듣고 싶었던 이 말이 천국에서 들려오는 듯하다.

천국으로 보내는 편지

보고 싶은 엄마!

엄마가 계신 그곳은 어떤가요.

제 꿈속에 나타난 젊고 예쁜 그 모습으로 계신 거죠?

아버지는 만나서 한눈에 알아보셨어요?

30년간 못다 하신 얘기는 다 풀어 놓으셨고요.

엄마!

저 잘하고 있나요?

아버지와 함께 지켜보시고 칭찬해 주실 거죠?

살아생전 다섯 명의 자식들에게 "사랑한다."라는 말을 한 번도 해본 적도 들어본 적도 없는 엄마와 아버지에게 "사랑해요. 너무 보고 싶어요."라고 외치고 싶어요.

천국에 계신 엄마를 사무치게 그리워하는 큰딸이.

엄마는 언제 가장 행복했을까

윤선희

"잘 지내지? 밥은?"

엄마의 질문이 때론 미루어 왔던 숙제처럼 느껴진다. 8남매 첫째로 동생들을 돌보고, 넉넉하지 않은 아빠의 수입으로 집을 장만하고 항상 따뜻한 밥을 해주시던 엄마. 그리고 그렇게 하고 있지 못하는 나와 자주 비교하게 된다.

돈을 아끼기 위해 아령이 아닌 500㎖ 물병을 들고 운동하고, 누군가 주셨다는 아주 오래된 실내 자전거를 타는 83세의 부지런한 울 엄마! 60대에 산에서 굴러 허리와 무릎이 아프면서도 한시도 가만있지 못하는 엄마. 손 맛 좋은 우리 엄마는 누군가를 위해 밥을 하고 돌봐주는 것이 인생 전체인 듯하다. 점점 빠져가는 기운에 못하는 일이 하나 둘 늘어날 때 어두워지는 엄마의 얼굴이 아픔으로 다가온다.

엄마와 반대로 퇴근하고 발 닦고 나면 따뜻한 밥상이 꼭 차려져 있어야 하고, 저녁 먹고 나면 누워서 TV보시던 아빠. 주말 아침은 테니스를 치고 소양댐에서 향어를 낚아오는 날의 엄마는 한상 거하게 차리느라 바쁘고 아빠는 술 한 잔 하시면서 동료들과 어울리신다.

아빠를 조금 더 닮은 나는, 게으르다는 죄책감을 가지고 있다. 어린 아들을 돌보는 것보다 나의 힘든 상황과 마음이 먼저였다. 그래서 좋은 엄마가 아니라는 죄책감 또한 내 마음 한 구석을 차지하고 있다. '내 아들이 다른 엄마를 만났더라면 더 잘 컸을 텐데….'하고 말이다.

(스스로 나는 아주 이상한 사람이라고 생각했다. 이 생각을 바꿀 수 있었던 건 에니어그램(사람을 9가지 성격으로 분류하는 이론) 공부 덕분이었다. 내가 생각하고 있던 나의 모습은 생존을 위해 선택한 방어 기제와 전략일 뿐, 진짜 내가 아니었다. 새롭게 알게 된 사실에 큰 위로가 되었다. 그러면서 비로소 주변이 보이고 인간관계도 원만해지고, 주변의 감정에 민감하던 내가 좀 더 편하게 타인의 감정을 받아들일 수 있게 되었다.)

내 기억 속의 엄마는 항상 머리에 수건을 두르고 몸빼 바지를 입고 일하시는 모습이었다. 드문드문 부부동반 모임에서 전축을 틀고 춤추며 즐거워하는 모습도 있지만 힘들어하는 모습이 더 기억에 남는다. 가족만을 위해 살아오신 엄마는 아빠가 돌아가시고 난 후 돌볼 사람이 없어지면서 비로소 본인을 보기 시작하셨다. 뒤늦게 한글 배우기에 도전하고, 평생교육원에서 한지공예도 하고, 노인대학을 다니며 재롱잔치도 하셨다. 아프지만 않으면 더 멀리 여행도 다니고 좋았을 텐데 아쉽다. 그래도 지금처럼 동네 마실 다니고 수영장도 다니면서 엄마를 위해 사는 삶을 즐기셨으면 좋겠다. 색 바랜 그릇도 새로 사셨음 좋겠다.

엄마를 떠올리면 불쌍하고 미안한 감정이 든다. 한 번씩 술을 드시면 밥상을 뒤엎는 아빠, 사춘기 언니 오빠와 다투고 힘들어 하시는 엄마를 보며 '나는 엄마를 속상하게 하지 말아야지!'다짐했다. 하지만 내 감정을 표현하기 보다는 숨기기가 더 익숙했던 나는, 제대로 말도 안하고 엄마를 더 힘들게 했다는 걸 이제 알 것 같다. 나를 숨기며 엄마를 제대로 이해하지 못해 정말 미안하다.

엄마 걱정 안하게 착한 딸 된다고 했던 내가 엄마를 가장 속 썩이며 지낸 듯하다.

혼자서 이렇게 천안까지 와서 살며 전화도 자주 못하고 엄마도 자주 못 보니 말이다.

대화가 없던 우리 가족, 난 아직도 엄마에 대해 아는 게 별로 없다. 가족이 모이면 얘기하는 에피소드 중 내가 모르는 일들이 많다. 이번에 엄마 보러 가면 물어봐야겠다.

"엄마! 엄마는 언제 가장 행복했어?"

철들기 전 돌아가신 아빠와 나누지 못한 대화까지 보태어 엄마에 대해 더 알아가 볼 예정이다. 아직도 표현이 서툴고 전화하면 길게 대화 못하는 나지만, 엄마! 엄마를 많이 사랑합니다.

13_

그렇게 강해져 버렸다

박주란

“잘 사냐? 왜 연락이 없냐?”

엄마는 나의 안부를 물으시는 것인지, 연락을 자주 않는다고 나무라시는 것인지 모르겠다. 내가 살기 위해 엄마와 거리두기를 하고 있다는 걸 눈치라도 채신 걸까. 전화기 너머로 들려오는 목소리만으로도 내 마음이 요동친다.

착한 둘째 딸로 엄마의 기대에 부응하기 위해 살아온 삶을 이제는 살기 싫다며 늦깎이 사춘기 소녀처럼 소리 없이 떼쓰고 있는 나다. 과거의 모습 역시 내가 살기 위해 선택한 삶이었지만, 이제는 엄마와 조금 거리를 두며 온전한 나로 편안하고 싶다.

나에게 엄마는 서른다섯 살 때 모습으로 오랫동안 고정되어 있었다. 어렵고 힘든 생활환경 속에서도 억척스럽고, 바지런하고 강한 나의 엄마였다. 살아내기 위해 그렇게 살아진 엄마의 삶이었다.

그런 엄마가 어느 날 갑자기 육십이 넘은 엄마가 되었다. 새하얗게 세어버린 머리를 감추시느라 염색하는 일이 일상이 되고, 젊은 시절 고생하신 탓에 머리부터 발끝까지 성하지 않은 곳이 없다.

계속되는 사고와 질병에 아픈 것이 지겹다고 하시는 엄마의 여린 모습도 보인다. 하지만, 여전히 나에게는 감당하기 어렵나보다. 아픈 엄마를 안아드리다가도, 내 일상을 살면서는 이내 차갑고 인색한 딸이 되어버린다.

그런데, 내가 누군가에게 내 것을 나누는 것을 보면 영락없이 엄마를 닮아 있다. 어려운 집안 사정으로 부모님은 끊임없이 일을 하셨다. 그렇게 힘겹게 일하시면서도, 엄마는 집에 넉넉히 있는 것이 있으면 주변 사람들에게 나눠주었다. 집에 없는 것이라도 사줄 여력이 있으면 딱한 사정이 있는 사람들을 그냥 지나치지 못하셨다.

"내가 힘들 때 누가 나한테 쌀 한 봉지라도 주면 얼마나 고마웠는지 모른다. 일하고 먹을 것을 주면 다 받아왔어. 그걸 너희들이 모여앉아 먹는 걸 보는 게 얼마나 행복했는지 모른다."

힘든 시절을 회상하며, 나누고 또 나누는 엄마의 모습을 보고 자랐다. 나 역시도 엄마의 삶을 닮아 어려운 사람에게 내어주는 것이 나의 기쁨이고 행복이 되어버렸다.

그런 엄마의 삶은 나를 가슴 미어지게 한다.

열아홉 소녀가 남해 섬 동네로 시집을 왔다. 취업시켜준다는 말에 속아 결혼을 한 후, 남편의 다섯 동생들을 책임져야 했다. 막내 도련님이 초등학생이었으니, 스무 살에 동생 같은 도련님을 키운 셈이다. 남겨줄 유산이 밥상 하나였던 집안에서 우리 네 남매까지 낳아 키우시면서 안 해 본 일이 없고, 쉰 적이 없는 엄마의 힘겨운 일생이었다.

남해안 저 끝 섬마을에서 서울 한복판 종로까지 상경하면서 얼마나 두렵고 무서웠을까. 엄마는 삶을 살아내기 위해 강해져야 했고 그렇게 강해져 버렸다. 친정, 시댁, 남편 할 것 없이 의지할 곳 없는 인생에 불안하고 힘겨워 많이 울었던 인생이었을 것이다.

"가끔씩 갑자기 가슴이 막 두근두근하고 불안해."

"힘들 때는 혼자 소리 없이 얼마나 많이 울었는지 모른다."

엄마의 신음 섞인 말이 내 마음을 미어지게 하는 이유다.

이제는 엄마가 더없이 편안했으면 좋겠다. 노년의 여유를 느끼며 넉넉한 마음으로 행복하셨으면 좋겠다. 편안하고 여유롭게 도란도란 이야기를 나누고 환하게 웃으며 행복한 사람들과 살아가셨으면 좋겠다.

"요즘 정말 살맛난다. 너무 행복해." 엄마에게 듣고 싶은 말이다.

사랑하는 엄마.

엄마 이름만 불렀는데도 코끝이 찡해요.

많이 사랑하고 많이 감사하는데도 왜 표현에 인색한지 모르겠네요.

아프지 말고 건강하고 행복하게 사시길 바라요.

저를 낳아주시고 키워주셔서 정말 감사해요!

많이 사랑해요!

14_

다음 생에는 내 딸로 태어나줘

박건희

"응? 응? 뭐래?"

요즘 엄마가 자주 하는 말이다. 검진 받을 때마다 청력을 검사해보지만, 늘 정상이다. 내가 하는 말을 한 번에 알아듣지 못하는 엄마를 볼 때마다, 1톤의 철근콘크리트가 가슴 저 밑으로 쿵! 하고 떨어지는 느낌이다. 내 말을 듣지 못했다는 데서 오는 짜증보다, 이러다가 엄마의 청력에 진짜 문제가 생기면 어쩌나 하는 노파심에서다. 그래 노파심. 훗. 우리 모녀 사이에서 노파심이 빠지면 서운할 정도로 엄마는 항상 내게 노파심을 가지고 있다. 그런데 이젠 내가 엄마에게 노파심이라니.

엄마는 다리가 학다리처럼 얇고 약한데도 불구하고, 여행도 좋아하고 밤늦도록 다녀도 다음날 거뜬하게 일을 할 정도로 활력이 넘쳤다. 그런 엄마가 손주들 본다고 집안에만 있는다는 게 얼마나 감옥 같을까. 나는 늘 엄마의 동태를 살핀다.

엄마의 영향을 받은 건지, 지금 나도 거의 매일을 두 탕씩 일을 뛰고 있다. 오전에 회의하고 오후에 수업을 간다든지, 오전에 아이 병원에 데려갔다가 오후에 강의하러 가던지 말이다.

어렸을 때 엄마와 나는 남대문 새벽시장에 자주 다녔다. 9시에 일이 끝나던 엄마는 나랑 함께할 수 있는 시간이 딱 그 시간뿐이었다. 새벽시장에 가면 우리는 뜨끈한 국수 한 그릇씩 먹고, 밤새 구경하러 다녔다. 내가 제일 좋아하던 코너는 수입 코너였다. 그곳에 가면 신기한 물건들이 너무나 많았고, 먹을 것도 독특하고 맛나 보이는 것이 많았다. 아기자기한 장식품, 예쁜 그릇들, 늘어나는 치즈, 꽃게 과자, 카레 맛 라면땅 등 내겐 그저 신기하기만 했던 순간들이었다. 다음 날 졸음이 몰려와 수업에 지장은 있을지언정, 나에겐 그 순간이 내 초년시절 중 꽤 행복한 기억으로 자리 잡고 있다.

그런데 지금은 아무리 편의시설이 잘 되어있는 대형쇼핑몰에 가더라도 엄마가 금방 지쳐버려 조금 걷다 앉아야 한다. 힘든 걸 모르고 계속 걸었다가는 엄마 자신도 모르게 다운되는 컨디션을 견뎌야 한다. 나는 엄마의 힘듦을 재깍 알아차려야 한다. 배고픔도 마찬가지다. 엄마는 일을 하면서 늘 불규칙적인 식사를 했다. 일을 안 하게 되니 이제는 식사를 잘 챙기게 되었는데, 옛날에 챙기지 못했던 영양을 이제야 챙기는 듯, 엄마는 요즘 자주 허기져 한다. 그런 모습을 볼 때마다 가슴 한편이 꾹꾹 쑤시는 듯하다. 딸로서 미안해서가 아니라, 지난 엄마의 세월을 생각하니 가슴에 울화가 치밀어서다.

엄마는 9남매 중 막내로 온갖 사랑을 듬뿍 받았지만, 어려운 형편으로 일찍 독립을 해야 했다. 공부도 꽤 잘하고 장래가 촉망받던 모범생이었지만, 그마저도 여의치 않아 서울로 상경하여 돈을 벌었다.

나이 차이 많이 나는 형제들도 누구 하나 엄마를 공부시킬 여유가 되지 않았다.

그러다 결국 꽃다운 어린 나이에 아빠랑 만나 결혼식도 못 올리고 살았다. 아빠가 딱히 잘해준 것도 없고, 누구 하나 엄마의 존재를 존중해주지 않는 시댁 살이. 그땐 그래도 의지할 사람이 필요했다고 엄마가 늘 그랬지만, 나는 왜 그랬냐며 안타까워한다. 그러면 엄마는 그때 아빠랑 헤어졌으면 널 만날 수 없었을 거라고 한다. 나는 언제여도 엄마 딸로 태어날 거였으니, 엄마 자신을 위한 삶을 살지 그랬냐고 원망 아닌 안타까움을 토로해본다.

이제는 내가 엄마의 든든한 친정으로써 말하게 되는 것에 나 자신도 놀랍다.

엄마더러 다음 생에는 내 딸로 태어나라고 했다. 그래서 지금의 내 딸처럼 제대로 보살핌 받으며, 의식주와 교육환경만큼은 제대로 갖춰주고 싶다. 어리광도 부리고 우울한 날 없이 있는 힘껏 밝고 환하게 자랐으면 좋겠다고. 솔직한 내 심경을 전해 본다.

엄마, 엄마가 나 때문에 산다고 했던 말이 어렸을 땐 너무 버거웠어.
하지만 이제는 엄마의 가장 꽃다운 나이에 '나'라는 생명을 피워주고
지켜줘서 참 고마워!
다음 생에는 꼭 내 딸로 태어나서 고깃국도 실컷 먹고, 예쁜 옷 입고
대학교까지 하고 싶던 공부 원 없이 하자!
사랑해!

15_

또 다른 엄마

윤미경

'엄마'라는 말을 들으면 그리움에 사무친다. 내 나이 일곱 살, 폭우가 쏟아지던 여름 산사태로 엄마는 나에게 한마디 인사도 없이 영원한 이별을 했다.

"윤양 뭐하니? 궁금?"

초등학교 때부터 엄마처럼 늘 섬세하게 나를 챙겨준 언니다. 나는 언니의 모습을 통해 엄마를 느끼고 상상하며, 엄마의 흔적을 찾는다.

언니의 '궁금하다'는 글귀에 애정과 안쓰러움의 양가감정이 든다. 둘만의 꽁냥꽁냥 이야기 보따리를 풀자는 의미도 있지만, 장작이 모닥불의 불길을 돋워주기 위해 자신을 불태운 것처럼 동생들이 잘 지내는지 살피며 엄마의 빈자리를 채워주려고 무던히도 애쓰는 언니의 삶이 고스란히 느껴지기 때문이다.

가족과 형제자매들을 위해 강한 생활력으로 무던히도 애쓴 언니가 요가 스트레칭으로 틈틈이 자기 관리를 하며, 트로트 음악에 푹 빠진 모습이 참 좋았다. 그것이 그녀에게 유일한 유희요 쉼이었다. 언니 덕분에 바쁜 삶 속에서도 내 안의 흥을 끄집어내어 나를 기쁘게 하고, 즐길 줄 아는 여유를 가지게 되었다.

큰 키에 건강하고 예쁜 이목구비를 가진 23살의 새색시였던 언니가 이젠 70을 바라보는 할머니가 되었다. 몸은 여기저기 고장이 나서 여러 번의 수술로 내 심장을 철렁이게 하곤 한다.

3남 2녀의 장녀로, 맏며느리로, 두 남매의 엄마로 강한 책임감과 희생, 헌신의 삶을 살아온 언니. 이제는 자녀 모두 출가시켜 편히 살만한데 몸이 여기저기 아파서 말을 듣지 않는다.

22년 11월 24일 밤 12시, 심혈관 질환으로 5시간 동안 수술실에서 죽음과의 사투를 벌이는 언니를 생각하니 흐르는 눈물을 어찌할 수 없었다.

'하나님! 나에게서 엄마인 언니를 빼앗아 가지 말아 주세요! 엄마처럼 말 한마디 전하지 못하고 떠나보낼 순 없어요! 그 고통을 두 번이나 겪게 하지 말아주세요. 전 아직 언니를 보낼 준비가 되지 않았어요!'

나의 간절한 기도가 하늘에 닿기를 소망했다. 수술이 끝났을 때 그 긴 시간을 잘 견뎌준 언니가 얼마나 고마웠는지 모른다. 수술 후 1주일간의 간병은 아기와 어른의 모습을 오가는 언니를 경험한 귀한 시간이었다.

이젠 언니의 삶이 밝은 햇살처럼 따스하고 평안했으면 좋겠다. 자식, 손주, 형제자매들 걱정은 내려놓고, 언니 자신에게 쉼을 주고 기쁨을 주는 인생을 살았으면 좋겠다.

"이번 명절은 형부와 경주여행 하기로 했어." 언니에게서 내가 듣고 싶은 말이다.

언니!

젊음을 만끽하며 자신을 위해 살고 싶었을텐데, 장녀로써 막내인 나를 엄마처럼 섬세하게 챙겨줘서 너무 고마워. 언니에게 난 큰 딸이었어.

내 삶에 언니의 사랑이 스며들었기에 안정감 있고, 밝고 건강하게 자랄 수 있었던 거야.

큰 수술을 잘 견뎌줘서 고맙고, 회복이 빨라서 감사해.

수많은 어려움 속에서도 지혜롭게 잘 살아낸 언니가 너무 자랑스러워.

내가 바라는 건 언니가 건강하게 누리며 사는 인생이 되었으면 좋겠어.

우리 함께 즐기며 살자!

언니의 큰 딸이자 동생, 미경이가

다시 만나는 그날에

홍효정

엄마가 돌아가신지 12년이 되었다. 엄마가 평소에 자주 하던 말들이 기억에서 가물가물하다. 세월이 흐를수록 엄마의 모습이 흐릿해지는 게 싫다. 천천히 엄마를 떠올리며 엄마가 했던 말을 생각해 보았다.

"입맛 없어도 끼니 거르지 말고 잘 챙겨 먹어."

"홍서방하고 애들은 별일 없지? 밥은 잘 먹고 아픈 데는 없지? 손빨래 하지 마. 나이 들면 고생해." 늘 큰 딸과 사위, 그리고 손주들 걱정해 주는 말씀 뿐이셨다.

작은 체구의 엄마는 몸을 혹사하며 일했다. 갱년기에 접어들 때 즈음 여기 저기 아프지 않은 곳 없이 뼈마디가 쑤신다고 하셨다. 엄마는 아이들 양말을 손빨래 하는 나에게 "젊을 때 몸을 아껴라. 나이 들어 고생한다."고 종종 말씀하셨다. 정작 엄마인 당신은 손에서 일이 떠난 적 없이 바쁘게 사셨다.

엄마가 지금까지 살아계셨으면 얼마나 좋을까 하는 아쉬움은 그리움이 되어 내 마음에 밀려올 때가 있다.

내가 염색을 할 나이가 되니 살아생전 혼자 염색하시던 엄마의 모습이 생각난다. 늘 받기만 했던 나는 내가 먼저 엄마에게 염색해 드린다는 말을 하지 못한 것이 후회된다. 항암치료로 머리카락이 다 빠진 엄마의 민머리를 볼 때마다 미안했다. 그 후로는 엄마의 머리를 염색할 기회가 없었다.

엄마가 아프지 않고 자연스럽게 나이 들어가며 서로 인생사를 나누는 친구 같은 엄마와 딸의 모습을 상상해 본다.

엄마는 언제 제일 행복했을까? 모진 세월을 살아왔지만 삼남매를 잘 키워놓고 여유로운 삶을 살며 함께 여행했던 추억을 소환해 본다. 몸이 힘들어서 약으로 버티고, 온 몸을 파스로 도배했지만 해바라기처럼 웃으며 행복해 하시던 그 모습을 잊을 수가 없다.

가족을 제대로 책임지지 않았던 아빠를 대신해서 우리 삼남매를 잘 키워 주신 엄마!

책임을 다하려고 늘 부지런히 성실하게 삶을 살아내시는 동안 얼마나 고단했을까? 여기저기 아픈 몸을 매일 약으로 달랬던 엄마에게 '약 중독'이라고 말하며 고통을 이해해 드리지 못했다. 그래서 나는 엄마를 생각하며 꽤 오랜 시간동안 울었다.

엄마가 밝은 햇살처럼,

밤하늘에 반짝반짝 빛나는 별처럼,

우리의 삶을 밝고 빛나게 안내해 주었던 것처럼,

엄마만의 꿈을 펼치며 행복한 삶을 살았다면 얼마나 좋았을까?

살아생전 엄마가 꼭 하고 싶었던 건 여행이었다. 소원을 이루지 못하고 돌아가신 엄마에게 내가 다시 듣고 싶은 말이 있다.

"효정아, 엄마는 운전해서 전국 방방곡곡 여행을 다닐 거야. 가서 맛있는 것도 먹고 좋은 곳도 구경하며 돌아다닐 거다. 좋겠지?" 엄마가 살아 계시다면 나와 함께 여행을 다녔을 텐데, 여행을 갈 수 없는 이 순간 엄마가 더욱 보고 싶다.

엄마! 한 몸 챙기기도 힘들었던 세월 속에서
우리 삼남매 품고 잘 키워줘서 진짜 고마워요.
엄마가 베풀어주신 사랑으로 행복하게 잘 살게요.
엄마는 진짜 최고였어요!
모질고 거친 세월이 얼마나 무섭고 힘들었을까?
자식들 생각으로 이 악물고 버티며 견뎠을 시간,
늘 옆에서 함께 하며 엇나가지 않게 다독여 주고
자식들을 자랑스러워하던 그 사랑 덕분에 잘 자랄 수 있었어요.
엄마가 나를 보며 뿌듯해 하던 그 모습을 어떻게 잊겠어요.
그렇게 지켜낸 엄마의 든든한 딸, 잘 살고 있어요.
엄마가 마지막에 보여줬던 환한 미소로
다시 만나게 될 그 날,
꼬옥 안아 드릴게요.
그리고 내 엄마여서 고맙고 감사하고 사랑한다고 이야기 하고
싶어요.
사랑해요. 엄마!

그냥

백미정

“정아, 뭐하노? 그냥 전화해 봤다.”

‘그냥’이란 단어가 20㎏의 쌀가마니처럼 무겁게 들린다. 엄마의 ‘그냥’을 받아줄 수 있는 사람이 이 세상에 나 혼자 뿐인 것 같다.

아픈 다리를 끌고 언덕진 도서관을 오르락내리락하며 책을 읽는 엄마를 말리고 싶지 않다. 40년 전이나 지금이나, 바짝 마른 대지 같은 삶을 밟고 있는 엄마에게 독서는 유일한 휴식의 형태였으니까.

엄마의 독서 덕분에 초등학교 시절 시드니 셸던, 오스카 와일드같이 굵직한 외국 소설가들의 이름을 알게 되었고 ‘삶이 그대를 속일지라도 슬퍼하거나 노여워 하지 말라.’ 푸쉬킨의 시를 끄적거릴 수 있었다.

사진으로 보았던 열아홉의 우리 엄마, 참 예뻤는데. 카키색 치마와 매끈한 다리가 참 예뻤는데. 지난 추석, 10년 전 내가 준 티셔츠를 입고 있는, 팔과 다리 여기저기에 흰색 파스를 붙이고 있는 엄마를 보았다. 촌스럽게, 흰색 파스가 뭐야.

엄마의 세월은 나를 쑤신다.

아빠는 위로 누님이 둘, 형이 둘이었고 아래로 남동생이 둘이었다. 그런데, 내 엄마가 치매 걸린 시어머님을 모셨다. 곧 돌아가실 고모할머니도 모셨다. 엄마는, 도끼로 농장을 찍어 대며 난리 치던 아빠와 20년 넘게 살다 사별이 아닌 이별을 했다. 그 세월 동안 기술 하나 배운 것 없이 어린 내 여동생 둘을, 동사무소 환경미화원 일을 하며 키웠다. 나에게 사람 마음을 꿰뚫어 보는 능력이 생긴데도 절대 모를 엄마의 세월이다.

엄마가 환해지면 좋겠다. 맑고 밝아졌음 좋겠다. 자신의 자리에서 빛을 잃지 않으면서도, 가끔씩 자유롭게 흘러갈 수 있는 휴식의 시간도 허락되는 삶을 살았음 좋겠다.

“커피숍 가서 차 한 잔 마시고 올게.”

엄마에게 듣고 싶은 말이다.

엄마, 난 엄마가 이해 안 돼. 어떻게 도망가지 않고 나를 키웠어?
진짜 이해 안 돼. 그리고 진짜 고마워.
엄마 전화를 그냥 받을 수 있는 딸로 키워 줘서 고마워.
엄마의 말이 1분 넘어갈 때 "전화 끊자."라고 하면 "문디 가수나."라고 뾰로통해 줘서 고마워.
엄마의 삶이 엄마를 속일지라도 슬퍼하거나 노여워하지 말고, 우아하게 책 읽으면서 살아줘.
환히 웃으며 흘러가는 엄마의 시간을 바라볼 수 있는 휴식도 선택해 줬음 좋겠어.

엄마.
엄마.
엄마.
나도 그냥 불러봤어.

18_

황홀한 눈부심

김경아

“우리 딸! 바쁘지? 밥은 먹었어?”

‘바쁘지’로 딸의 안부를 묻는 엄마.

“엄마는 밥 먹었어?” 되묻는 나의 말에 엄마는 “응.” 대답하며 이야기를 이어 간다.

‘바쁘지’란 단어에는 나에 대한 엄마의 미안함이 묻어 있는 것 같아 가끔 화가 나기도 한다. 정신없이 살아가는 모습을 자주 보여 드려 내가 더 미안한데 말이다. 나의 근무처인 유치원은 돌발 상황이 많은 곳이다. 그래서 엄마의 전화를 못 받을 때도 있고, 어쩌다 통화가 되더라도 언제나 형식적인 말만 주고받다가 끊어버리기 일쑤다.

“통장님! 안녕하세요?”

“권사님! 성경 필사도 완료하시고, 건강은 좀 어떠세요?”

“언니야! 오늘 밭에 갈 때 나도 데리고 가라.” 엄마 가까이에 있으면 들을 수 있는 여러 이야기들이다. 어느 곳에서든지 존재감 있는 삶을 살아내고 있는 엄마를 보면 내가 더 도전을 받는다.

자신에게 주어진 일뿐 아니라 세상을 넓게 바라보는 시선도 가진 엄마는 예측할 수 없는 하루를 시작할 때 해야 할 일정들을 정확히 기억하고 계신다. 나 역시 어느 순간부터 엄마처럼 그렇게 살아가고 있다. 솜사탕 같은 달콤한 삶도, 쓰디쓴 한약을 마시며 아파하는 삶도, 반복되는 일상의 삶도, 다시는 겪고 싶지 않은 삶까지도 말이다.

단아함이 그대로 묻어있는 엄마는 어느 곳에 계셔도 눈길이 가는 분이시다. 요즘은 세월의 흐름 속에 허리 굽었던 외할머니의 모습이 엄마에게도 보인다. 가끔은 "엄마. 이제 텃밭 가꾸는 일은 그만하면 안 돼?" 라고 이야기하고 싶지만 수확해 가는 기쁨의 미소를 바라볼 때면 나는 이내 평안함을 느낀다.

엄마의 세월을 떠올리면 마음이 미어진다. 1녀 1남. 온 힘을 다해 우리 남매에게 최선을 다하셨다. 오랫동안 치매에 걸린 시어머니를 모시고 살며, 마음 아파했던 했던 일들과 시간들, 시댁 일이든 친정 일이든, 교회 일이든, 동네일이든, 작든, 크든 모든 일에 관심을 가지셨고 당신의 삶 속에 사랑을 녹여 내셨다. 그냥 편하게 살아도 되는 환경들도 많았는데 여기저기 육체의 움직임으로 삶을 살다 보니, 다리며 허리며 많이 아파하신다. 한 번씩 크게 편찮으셔서 병원에 입원할 때마다 얼마나 마음이 아팠는지 나 혼자 울기도 했다. 그냥 생각만 해도 눈물이 났던 시간 속에 안타까움도 공존한다.

가족들 이름 앞에 항상 '우리'라는 호칭을 부르며 살아오신 엄마의 존재는 그 자체만으로도 눈부시다. 이제는 가족을 위한 눈부심이 아닌, 엄마 자체만으로 전해지는 단아한 아름다움이 곳곳에서 빛을 발하며, 모두에게 위로와 기쁨이 되었으면 좋겠다.

엄마!

타인을 배려하면서 멋지게 살아내어 주고 계신 엄마의 삶, 정말 고마워. 엄마 딸이어서 그런가, 어느 순간 내 안에 있는 엄마의 모습을 발견하며 미소 지을 때가 더 많았던 걸 보면 나 역시 엄마의 배려하는 모습이 싫지는 않았던 거 같아.

“박 권사님의 딸이세요?”라는 말이 나를 자신감 있는 사람으로 만들어 주었어. 정말 고마워,

앞으로 살아가면서 엄마와의 데이트, 엄마와의 여행, 엄마와의 수다 방, 엄마와의 먹방 등 해야 할 것이 너무나 많아서 마음이 설레. 엄마가 예전처럼 건강했으면 좋겠어. 내게 엄마라는 존재는 나를 버티게 해 주는 원동력이라는 걸 꼭 기억해줘. 어렸을 때 엄마 마음 많이 아프게 했던 작은 아이 경아가 이제는 엄마 말을 좀 더 잘 들어 보려고 해. 그러니 엄마는 언제나 내 앞에 꼭 있어줘.

불러도 불러도 참 좋은 엄마! 사랑해!

19_

엄마는 예뻤고

경수경

"그래, 내다. 별일 없제? 코로나 위험하니까 마스크 잘 쓰고 다니라!"

결혼 후 25년 동안 들었던 엄마의 '별일 없제?'라는 말은, 결혼 전 친정에서 겪어냈던 수많은 일들을 떠오르게 한다. 정말 별일이 없길 바랐던 그때.

엄마는 남동생 내외와 완도에 내려가 생활하신 지 5년이 넘었다. 코로나 시기에 미용실 가기가 어렵다고 했던 엄마는 염색을 하지 않고 지낸지 2년이 다 되었다고 한다. 흰 빛깔이 약간 도는 금발 헤어스타일을 자연스럽게 갖게 되었다. 처음에는 부끄럽다고 이상하지 않냐는 질문을 하며 멋쩍어하는 엄마였다. 자꾸 보니 엄마에게 잘 어울리고, 나도 엄마 나이에는 자연스러운 흰머리가 되었으면 좋겠다는 생각이 들었다.

늘 걱정이 많았던 엄마는 삼남매를 키우는 동안 아이들이 다치지 않게 키우는 걸 목숨처럼 지켰다고 한다. 나이 차이가 많이 나는 동생들을 키울 때를 기억해보면 엄마는 항상 동생들을 따라 다녔고, 한시도 눈을 떼지 않았던 모습이었다. 그만큼 아이들을 보호하고자 하는 마음이 컸던 분이었다.

아빠와 찍은 약혼사진을 보니 27살 아가씨의 모습이었다. 다소곳하게 아빠와 팔짱을 끼고, 해운대 앞에서 찍은 낡은 사진은 아빠, 엄마의 가장 젊은 날을 담아 놓은 추억의 사진이다. 사진 속에 그 아가씨가 백발 노인이 된 모습은 세월의 흐름을 오롯이 품고 있다. 엄마는 예뻤고, 맏딸로써 집안의 기둥 역할을 잘했던 삶을 살았던 딸이었고, 삼남매의 엄마로, 아빠의 아내로 삶을 살아냈다.

엄마를 생각하면 안타깝다.

맏딸로 가장노릇을 하느라 예쁜 세월을 일만 했다. 난 안다. 아빠의 정직하지 못했던 삶을. 아빠의 삶에 묻혀 엄마 자신을 잃어버렸다는 것을.

이제 나는, 조금이나마 엄마만의 인생을 찾아드리고 싶다. 내 진심을 여기에 남긴다.

엄마,

억척스러운 인생 가운데 우리 남매 버리지 않고 건강하게 잘 키워줘서 정말 고마워. 엄마의 생활력을 배운 덕분에 나도 내 삶에 애정을 가지고 열심히 살 수 있었어. 존재만으로도 감사한 우리 엄마, 나는 엄마가 많이 웃었으면 좋겠어. 가고 싶은 데 있음 마음껏 가고, 드시고 싶은 거 있음 마음껏 드셨음 좋겠어.

엄마가 좋아하는 휴식의 모양은 어떠한 걸까, 생각해 보게 돼. 편히 쉬고 있는 엄마의 모습을 보지 못해서 그런가 봐요.

이제라도 한숨 돌리며 엄마의 여생이 반짝반짝 빛났으면 해. 엄마의 빛남에 보탬이 되는 딸이 되도록 할게요.

엄마, 그동안 너무 애쓰셨어요. 그리고 정말 고마워요.

엄마, 축복합니다.

4장

인생의 좌표 : 태도

4장. 인생의 좌표 : 태도

지금 여러분의 마음을 닮아 있는
의성어 또는 의태어를 3가지 선택해 볼까요?
선택한 이유도 써 보세요.

의성어 예시 모음

- 꺄르르
- 냠냠
- 꼬끼오
- 와장창
- 삐약삐약
- 멍멍
- 째깍째깍
- 아삭아삭
- 하하
- 호호
- 쿨쿨
- 탕탕
- 철커덕
- 덜커덩덜커덩
- 졸졸

의태어 예시 모음

- 부들부들
- 보들보들
- 주물럭
- 푹신푹신
- 방긋방긋
- 울긋불긋
- 들썩들썩
- 엉금엉금
- 간질간질
- 반짝반짝
- 끄덕
- 갸우뚱
- 보글보글
- 야금야금
- 싱글벙글

여러분 마음속에서 어떤 태도를 발견할 수 있나요?
미덕 단어에서 3가지를 찾아 써 보세요.

유연성. 결의. 사려. 초연. 목적의식. 자율. 기지. 정돈. 한결같음. 명예. 용서. 화합. 믿음직함. 확신. 충직.

__________ __________ __________

내 마음이 어떠한지 수시로 살피는 것,
내가 추구하는 미덕(가치나 태도)이 무엇인지 알고 있는 것은
변화와 성장을 위해 반드시 필요합니다.
의성어와 의태어를 태도와 연결하여 동시로 표현한 글들을 읽으며,
여러분이 선택한 태도와 닮아 있는 부분을 찾아보세요.

어린 아이와 같은 순수함은
지킬 만한 가치가 있는 태도들을 발견하는데
큰 힘이 되어줄 것입니다.

01_

나다움 우리다움

진수민

첨벙첨벙 물장난
신나게 노는 동안
얼마나 시간이 지났을까
빨갛게 탄 얼굴에
노을이 번지네
아이야
오늘 하루도 훌쩍 컸구나
네 눈에 모두 담았구나
산새 소리, 싱그러운 풀냄새
반짝반짝 황금빛 시냇물
그래,
실컷 너답다

드르렁 드르렁
곤히 자고 있구나
일어나 창밖을 봐
눈이 오고 있어

우리 함께 떼굴떼굴
눈덩이를 만들자
함께 하니 더 멋지지?
짜잔, 빙긋 웃는 멋진 눈사람

딩동딩동 택배가 왔어요
기다리고 기다리던
선물이 도착했어요
두근두근 설레는 마음
살포시 포장을 푸니
선물상자에서 툭! 튀어 나오는,
내 마음을 닮은 빨간 곰 인형
안녕?
신나게 나랑 놀자

내 마음은 무수한 별을 간직한
무한한 우주,
나다움과 우리다움으로
함께 하는 시간들

02_

마음 자람

김영주

송글송글,
노력이 열리고 있어요.
가장 크고 탐스러운 것 하나 따서
주머니에 쏘옥!
"아니야, 아니야!"
구석에 있는 작은 것,
이것이 제일 최선.

뭉게뭉게 흰 구름
안아주고 싶어서
살며시 다가가 와락!
"앗, 미안해!"
쪼개진 뭉게구름 반창고 붙여주며 "호."
함박웃음 지으며 말해요.
"이제 내가 지켜줄게."

온 마음과 힘을 다해 영차영차.

흔들려도 영차영차
할 수 있다는 마음으로 영차영차.
찾았다!
내 마음 속 열정.

나의 마음이
또 이만큼 자라났어요.

03_

언제나 네 편이야

송지은

아삭아삭,
맛있는 소리.
엄마 품 같은 햇볕
꿀물 같은 빗방울
간질간질,
코끝을 스치는 향기를 나눴더니
내 입에 쏙 들어오는 아삭한 믿음.

보들보들,
볼 뽀뽀.
안녕, 잘 잤니?
새근새근,
잠자던 너의 얼굴
오늘도 내일도 지켜주고 싶은 너.

딩동딩동!
어, 누가 왔나?

아무도 없네.
문 닫고 들어오니,
언제 들어왔어?
나?
계속 여기 있었지.
폴짝폴짝, 뛰어볼까
첨벙첨벙, 헤엄쳐볼까
고개를 갸우뚱, 고민할 때
"넌 할 수 있어." 속삭였지.

나의 마음은
언제나 네 편이야.

04_

다시 봄

안영선

아스팔트 사이,
여기저기 핀 노란 민들레.
산책 나온 아이
눈 맞춤 인사에
여기서도 방긋,
저기서도 방긋.

밤하늘 별처럼
반짝반짝 피어나는
노란 민들레.
길 잃은 아이에게
소곤소곤.

바스락바스락,
낙엽들 재잘거림에
활짝 핀 노란 민들레.
하늘하늘 바람 타고

다시 봄으로 피는 민들레.

바람 타고 날아 온
내 마음,
빙그르르 맴돌다
노란 민들레 옆에 앉아
도란도란.

민들레가 말해준
자연의 한결같음에
내 마음을
다시 봄.

05_

마음 하나

전은숙

소중한 마음 하나,
사뿐사뿐 다가와
실수해도 괜찮다고
내 마음을 토닥토닥.

말랑한 마음 하나,
폴짝폴짝 뛰어와
눈 맞추고 끄덕이면
내 마음도 보들보들.

사이좋은 마음 하나,
살금살금 다가와
함께하자 손 내밀면
힘이 나서 으쌰으쌰!

고요한 마음 하나,
아장아장 다가와

기도하며 손 모으면
온 세상에 평화.

세상은
날마다 나에게로
다가와
내 마음을 감싸준다.

06_

오늘도 최고

손경민

뒹굴뒹굴,
일어날까? 말까?
보글보글,
엄마 된장찌개.
어느새 냠냠.
눈은 말똥말똥.
엄마의 음식 솜씨는
알람시계.

내 편 들어주는 친구.
친구가 반짝!
"네가 그랬으면 이유가 있었을 거야."
내 마음도 반짝!
그래서 우리는 둘도 없이 반짝반짝!

내 마음이 달그락달그락,
뜨거운 소리를 낸다.

내 꿈이 달그락달그락,

하나, 둘, 셋,

발사!

나의 하루는 오늘도 두근두근!

나의 하루는 오늘도 으쌰으쌰!

달려보자!

날아보자!

나의 하루는 오늘도 최고!

07_

좋은 사람

이성화

주르륵주르륵,
비가 온다.
우산이 없네.
어떡하지?
뭘 어떡해?
그냥 뛰어!
첨벙첨벙,
냅다 뛴다.
벌써 집 앞,
역시! 탁월한 선택이었어.

야! 저리 가.
친구 말에
짜증이 뽀글뽀글.
내 마음속 한마디.
'너나 저리 가.'
하지만 눈 질끈 감고

히, 웃어준다.

아! 하기 싫다.
숙제는 왜 날마다 해야 해?
놀고 싶은데
그래도 해야 한다.
왜냐하면
난 학생이니까.

좀 더 나은 선택을 하는 나는,
좋은 사람.

08_

하늘이 되었어요

홍효정

눈부신 햇살이 창문 사이로
잠든 아기의 얼굴을 간지럽혀요.
햇빛과 바람의 속삭임이
꿀맛 같은 단잠을 깨울세라
사뿐사뿐 아기에게 다가가
눈부신 햇살을
손 그림자로 가려줘요.

친구의 말에 귀 기울여 봐요.
반짝반짝 빛나는 따뜻한 마음,
우리 안에 보석 같은 마음이 숨어 있어요.

딩동딩동!
누구세요?
용기 한 그릇 배달이요.
딩동딩동!
누구세요?

용기 두 그릇 배달이요.
용기를 먹으면 마음이 든든해져요.
그러니 힘내요!

배려, 경청, 용기로
내 마음은
눈부신 햇살을 머금고 있는
넓고 든든한 하늘이 되었어요.

09_

그렁게 살자꾸나

박주란

괜찮다고 괜찮다고
어야둥둥 내 아가야

폴짝폴짝 팔짝팔짝
네 마음껏 뛰놀아라

내 품에서 내 안에서
네 마음껏 재미나라

사랑 주는 예쁜 마음
보들보들 말랑말랑

나도 주고 너도 주고
우리 서로 호호 하하

내가 있고 네가 있어
나도 좋고 너도 좋아

우리 같이 방실방실

서로 같이 반짝반짝

믿고

나누고

감사하며

그렇게 살자꾸나

10_

나는 할 수 있어요

김지혜

잡힐 듯 말듯 달아나는 녀석,
꼭 잡고 말 거야!
두 다리에 힘을 꽉 주고
토끼처럼 폴짝폴짝 뛰어올라볼까?

고양이처럼 살금살금 다가가서
확 잡아볼까?
요리조리 생각해보았어요.

펄럭펄럭 큰 날개를 펼치고 하늘을 나는 독수리처럼
폭풍을 만나도 가라앉지 않고
나아가는 배처럼
계속 해 볼 거야!

노력하고 노력해서 더 잘 할 거야!
내가 생각한대로 행동할거야!
원하는 것을 얻을 때까지 하고 또 할 거야!

밤하늘의 별처럼 빛날 거야.

나는 할 수 있어요!

언제나 감사

윤선희

송글송글, 아기 이마에 땀방울
첫 걸음이 힘들구나!
방긋방긋, 엄마 보며 환한 미소
안심하고 다시 한 걸음.

반짝반짝, 보석처럼 예쁜 웃음
내 것, 네 것 호주머니에 쏘옥!
조심조심, 소중하게 가져다가
보석 상자에 살포시 넣어둔다.

뒹굴뒹굴, 텔레비전 앞 우리가족
오늘 하루도 열심히 살았구나!
하하 호호, 웃음 꽃 피는 우리가족
내일 하루도 함께하니 감사.

12_

하늘 닮은 사랑으로

최덕분

방긋방긋
기쁨과 행복이 가득한 날
두근두근
그윽한 엄마의 눈빛 사랑은
최고의 선물이어라

토닥토닥
따뜻한 손길
안아주고 또 안아줘요
너의 마음과 나의 마음을

냠냠쩝쩝
엄마의 사랑 마음을 닮아 붉게 물든 김치 한 조각
몽클몽클
코끝 시린 엄마의 사랑 마음
고마워요
사랑해요

덕분이에요
행복해요

나의 마음은
온 세상을 포근하게 덮어 주는
하늘 닮은 사랑으로
"고마워!" 외치며 나아가고 있어요

13_

참 좋은 일

김미경

너와 손을 잡고 사뿐사뿐 걸어가는 길
비가 오고 바람이 불어도 괜찮아.

너의 보들보들한 손을 느낄 때
비온 뒤 말끔해진 하늘 같은 세상이 내 앞에 펼쳐져

알 수 없는 뭉클함에 눈물이 찔끔나서
그 순간이 영원하기를 바라며 네 손을 꼭 잡아.

믿음을 붙잡는 것.
진실을 느낀다는 것.
감사를 품는다는 것.
참
괜찮은 일.
참
좋은 일.

행복한 사람

전숙향

손자 이마엔 땀방울이 송골송골
할머니 눈에는 꿀이 뚝뚝
입가엔 함박꽃이 만발
너무너무 신나고
너무너무 재밌어
이리 뛰고 저리 굴러
할머니 품 안으로 쏘옥

야옹야옹 고양이
가을이, 턱시도, 치즈를 소개할래
하얀 얼굴에 애교점이 예쁜 갈색 무늬 가을이
까만 몸매에 하얀 장화와 스카프로 멋을 낸 턱시도
멋진 줄무늬와 긴 꼬리를 자랑하는 애교 많은 치즈
이리저리 눈치 보며 고개를 갸우뚱
살금살금 다가와서 오늘 밥은 내가 일등
꼬리치고 후다닥
쏜살같이 도망가네

째깍째깍
엄마 바늘 한 바퀴 돌아오면
아가 바늘 한 발짝 기어가고
째깍째깍
오늘은 어디 갈까?
뭐 하고 놀까?
째깍째깍
아빠 깨우는 소리

나를 믿어주는 손자의 마음에,
길냥이에게 마음을 보여줄 수 있는 시간에,
시간에 미안하지 않은 끈기에,
나는 참 행복한 사람

나의 시간들이

백미정

주르륵 주르륵,
비가 오는 날.
친구 어깨가 젖지 않도록
내 우산을 친구 쪽으로
기울여 주었어요.

친구의 미소에 소리 내어 웃고 싶은 하얀 마음,
엄마 어깨를 주물러 드리고 싶은 하얀 마음,
할머니 팔베개를 하고 싶은 하얀 마음이 모여
파란 하늘의 뭉게뭉게 구름이 되었어요.

달그락달그락,
내 꿈에서 소리가 나요.
내 생각과 감정을 깨끗이 씻어
멋진 미래를 만들어 가는 소리랍니다.

나의 시간들이
나에게 박수치고
환호를 보내줍니다.

16_

열정의 미소

윤미경

흔들흔들
곤히 잠들어 있는 나를 깨우네!
바스락바스락
몸과 마음이 깨어나네!

딩동댕 딩동댕
열정의 노래
빙글빙글 리듬에 맞춰
신나게 춤을 추네!

송글송글 맺힌 땀방울
두근두근 벅찬 가슴
주렁주렁 기쁨이 모여
행복을 만드네!

열정은
희망을 건네며 미소 짓는다

멋져요

김 태 은

주르륵 주르륵
비가 오던 날.
우산을 쓰고 학교에 가요.
같은 반 친구가 내리는 비를 맞으며 힘없이 걸어가요.
"현경아, 우산 안 가져왔니? 나랑 같이 쓰고 갈까?"
친구랑 우산을 같이 쓰니 행복했어요.

룰루랄라
놀이터에 갔어요.
아빠, 누나, 형도 놀이터에 왔어요.
"우리 같이 미끄럼틀 탈까?"
계단으로 올라가요.
조금씩 천천히 올라가요.
신나게 미끄럼틀을 타요.

으라차차!
"난 할 수 있어. 다시 해 보자."

내 마음이 슈퍼맨이 되었어요.

꿈의 하늘을 날기 위해 두 주먹을 불끈 쥐었지요.

함께하며

배려하며

도전하는 나는 참 멋져요.

성공

박건희

여행에서 가족들이 길을 잃을까
먼저 뛰어가 길을 찾았어요.
송글송글,
이마에 땀이 맺혔어요.

등산로를 올라가는데 엄마가 힘들어 보였어요.
영차영차!
나는 엄마 등을 밀어줬어요.
그 모습을 본 딸이 또 나를 영차영차!
밀어줬어요.
칙칙폭폭,
3대 기차가 고개를 넘어갑니다.

딩동딩동,
아이디어가 떠오를 때 머리에서 나는 소리예요.
창의성의 미덕이 번뜩이면서,
성공의 희열을 느낄 때 나는 소리랍니다.

함께의 힘과 서로를 위하는 마음,
이미 저는 성공했답니다.

좋은 생각이야!

김 경 아

요이 땅!
저기까지 달려가 보니
수고의 땀방울이 송글송글

이것 봐!
탐스러운 열매가 가득해요
노력의 땀방울이 송글송글
만나보면 알아요
내 마음, 당신 마음
고마운 땀방울이 송글송글
노력의 결정체와 탁월함이 송글송글

나 혼자 달려가 보니 아무도 없네
같이 달려가 보면 생기는 미소 반짝 반짝
섞은 사과, 상처 난 사과, 떨어진 사과
달려가 보면 남은 건 이것 뿐
그래도 좋아, 도와줘! 라고 너에게 말이라도 남겨봐

같이 달려가 보면 생기는 미소 반짝 반짝

내 마음속에 나의 힘 영차영차
내 마음속에 나의 열정 영차영차
우리 모두의 마음이 알알이 채워져 가네

좋은 생각이야!
달려가 보자. 같이 달려가 보자

5장

아낌없이 주는 나무가 되어 : 사명

5장. 아낌없이 주는 나무가 되어 : 사명

사	人 사람 인 윗사람 명령으로 하여금	吏 관리 리 관리가 사신으로 떠난다.	使 하여금 사 사신 사
명	亼 합할 합 집합시켜	卩 병부 절 무릎 꿇려 놓고 명령한다.	命 목숨 명 명령 명

윗사람 명령을 받아 사신으로 떠나는데
신의 계시를 받은 모습으로
명령을 목숨처럼 여기다.

'사명'의 뜻,
책임감을 넘어 비장함이 느껴집니다.
우리가 이 세상에 태어난 목적 중 하나,
아낌없이 주는 나무가 되어 아낌없이 잘 살다가 가는 것 아닐까요?
줄 수 있는 사람, 잘 사는 사람, 사명을 이루는 사람이 되기 위해서는
먼저 줄 것이 있어야 합니다.
자신이 하고 싶은 일이 무엇인지 알고 눈에 보이는 성과를 내야 가능한 일이죠.

미래의 나를 위한 일기 쓰기는 바람직한 새로운 생각과 감정, 행동을 불러온다. 과거를 반복하는 조건 반사적 습관에서 벗어나게 도와주는 매일의 작은 습관 연습이다.

하고 싶은 일과 사명을 빨리 찾을 수 있는 방법,
'결과에서 출발하는 기록'입니다.
내가 이루고 싶은 미래의 모습을 일기로 써 보는 일,
100점 만 점에 200점 주고 싶어요.
5분만 투자하셔서 아래의 미래일기, 꼭 채우시길 희망합니다.

내가 이룬 사명

사명을 이룬 날짜

사명을 이룬 그 날의 날씨

입고 있는 옷

주변 사람들이 해 주는 말

나의 기분

그리고,
'확장된 사명'은 무엇인가요?
여기서는 일기를 쓸 수 있는 칸을 드리지 않겠습니다.
5장 글을 다 읽고 난 후 생각해 보시길 바랍니다.

따뜻한 봄날을 기다리며

송지은

'배우가 되어볼까?

성경을 읽어볼까?

내가 가야 할 목적지를 알려줄 누가, 어디 없나요?'

어릴 적 내성적이었던 내가 '나'같지 않아서 여러 성격을 표현할 수 있는 배우가 되고 싶었다. 모든 것의 답은 성경에 있다고 해서 성경책을 읽어보려고도 했다. 인생의 방향과 목적지를 찾지 못해 그 정답을 알려줄 누군가를 찾아 헤매기도 했다. 그렇게 나를 의심하고 불확실한 미래를 두려워하던 내가, 매일 감사하고 '나'를 알아가기 시작하면서 지금 이 순간의 '나'를 사랑하고 믿으며 평온해질 수 있었다.

2028년 3월, 나처럼 '나'를 알고 싶어 하는 사람들에게 무한한 가능성을 일깨워주는 '러브미 멘토'가 되었다. 아직 자신의 잠재가능성을 알지 못하는 어린 아이부터 방황하는 청소년들, 퇴직 이후 또는 자녀를 독립시키고 제2의 인생을 꿈꾸는 분들까지 많은 사람이 매년 러브미 타운을 찾아온다.

이곳에서 사람들에게 '나'없이 '남'을 좇는 삶 대신, '나'다운 하루를 만들어가는 자유롭고 자주적인 삶을 선물했다. 20명의 선생님들과 러브미 타운에서 사람들이 자기 자신을 바로 알고 흔들림 없는 실행으로 원하는 삶을 살 수 있도록 매년 교육하고 있다.

2021년 1월, 37년간의 방황을 끝내기 위해 '나'에 대한 공부를 시작했다. '나'에 대해 잘 알게 되면 나처럼 고민하고 방황하는 사람들을 도울 수 있을 것 같았다. 인간의 성격유형과 본질을 다루는 에니어그램을 강의와 책을 통해 공부했다. 그리고 그 성격에 갇혀 성장을 어려워하는 사람들을 돕고 싶어 NLP와 멘탈 코칭을 배웠다.

더우나 추우나 평일 새벽 5시면 온라인 화상회의 줌(zoom)에서 같은 관심사를 가진 분들과 책을 낭독하고 이야기를 나눴다. 그들과 자신을 관찰하고 발견하며 함께 성장했다. 지금은, 그때 함께 했던 선생님들과 러브미 타운에서 과거의 우리들처럼 '최고의 나'를 발견하지 못해 힘들어하는 사람들의 멘토가 되었다.

따뜻한 햇볕이 눈부신 햇살이 되어 강의실 안 깊숙이 어둠을 밝혀주고 있다. 여전히 아침, 저녁으로는 찬 기운이 남아 있지만, 연둣빛 나뭇잎이며 노오란 개나리와 분홍빛 진달래, 철쭉, 이름 모를 꽃들이 강의실 밖 러브미 타운 공원 산책을 설레게 한다.

"혹시 선생님이신가요?"

어릴 땐 선생님이 되기 싫었는데 어른이 되어 다른 직업을 가지고 있으면서도 선생님이냐는 질문을 들어왔다. 그리고 결국 그 질문처럼 아이들과 어른들의 친구이자 선생님인 동시에 그들의 멘토가 되었다. 일방적으로 매년 모든 사람에게 똑같은 것을 가르쳐주는 것이 아닌 '내가 나의 생각과 감정의 주인이다.'는 기본 틀 속에 각자가 '자신'이라는 교과서를 두고 '나'에 대해 발견하며 성장해갈 수 있도록 돕고 있다.

환하게 미소 지으며 어느 상황에서든 자신을 위한 삶을 선택할 수 있는 그들의 당당함을 바라보니, 코끝이 찡해진다. 그동안의 방황에서 나 자신을 믿고 하나하나 새로운 선택을 할 때마다 옆에서 지지해주고 함께 해준 가족과 러브미 타운 선생님들. 모두 감사하고 사랑합니다.

02_

노력 그리고 결실

이성화

하악! 뜨겁다. 가만히 있어도 콧잔등에 땀이 송골송골 맺힌다.

역시 여름은 더워야 제맛이지. 7월 한낮의 땡볕 속 깔끔한 흰 블라우스에 정장 재킷, 시원스럽게 풍덩 한 검정 바지, 편안한 구두를 신고 차 안에서 부채질을 한다.

"꼭 이렇게 더운 날 가야겠어? 좀 시원할 때 가면 좋을 텐데. 그래도 내가 당신을 도와줄 수 있어서 너무 즐거워." 남편이 운전하며 말한다.

김포공항으로 향하는 내 마음도 덩달아 설렌다. 호주 교민을 대상으로 <나의 삶을 변화시킨 습관 5가지>라는 제목으로 3박 4일 강의를 한 후 3일은 시드니여행을 하고 돌아올 예정이다. 내가 하는 말이 누군가에게는 세상을 바라보는 관점이 바뀌는 중요한 계기가 될 수 있다는 생각에 마음이 뿌듯하고, 감사하다. 내가 좋아하는 일로 사람들에게 도움을 줄 수 있다는 것은 참 행복한 일이다.

먼저, 강의를 할 수 있게 해주신 하나님께 감사드린다. 두 번째로는 살림에 소홀한 나에게 말없이 밥을 챙겨주고 청소도 알아서 해주는 남편에게 진심으로 고맙다고 말해줘야겠다.

20대엔 뭐든지 할 수 있다고 생각했다. 그러나 나이가 들수록 막연해지는 꿈! 현실의 나를 보니 커다란 산처럼 보였다. 과연 내가 잘할 수 있을까? 의문문으로 변해버린 나의 꿈이 드디어 50대에 이뤄지고 있다!

꿈을 향해 시간을 쪼개고 밤잠 설쳐가며 공부하고 삶으로 실천해가면서 점점 자신이 생겼다. 내 목표였던 2028년 60살이 되기 전에 해외로 강의하러 가게 된 것이다. 교민들과 삶의 힘든 부분을 나누고 그에 맞는 노래를 불러봄으로 감정을 나누며, 삶의 기쁨을 느끼게 하고 싶다. 그리고 어린이에게는 세상 속에서 잘 살아갈 수 있는 방법을 공동체 게임을 통해 소통하며 성취의 기쁨도 누리게 해주고 싶다.

우리는 모두 연결되어있다. 사는 곳은 달라도 흐르는 마음을 누가 이끄느냐에 따라 모이게 되어있다. 나는 이 일을 하기 위해 일주일에 한 권의 책을 읽고 꿈을 기록하기를 5년 동안 쉬지 않고 해왔다. 그리고 나의 안 좋은 점을 고쳐야겠다는 결심이 서면 고쳐질 때까지 몇 개월을 반복했다. 날마다 다이어리에 기록하면서 머리를 쥐어박던 때가 엊그제 같은데 참 감사하다. 나의 삶이 이렇게 변하게 될 줄이야! 남의 인생 앞에 서는 게 두렵고 떨리지만, 진실함으로 작은 일에 성실히 임하며 오늘도 살아가리라.

03_

마침 불어오는 바람은

전은숙

내가 나를 믿어주는 마음이 바람 앞에 등불처럼 매 순간 흔들렸지만, 그 등불을 꺼뜨리지 않고 잘 지켜온 나의 어깨를 토닥거려 본다.

2027년, 드디어 나의 자존감을 회복하고 향상하는 것을 체화한 나는 청소년과 부모들이 만나고 싶어 하는 코치로 선정되어 2028년의 강의 일정이 이미 빽빽하다.

강의가 끝났는데도 자리를 지키고 있던 청중 한 분이 나에게 살며시 다가와 인사를 꾸벅 했다. 그리고 조금 떨리는 목소리와 미소로 말했다.

"선생님, 감사해요. 여기 올 때는 우리 아이는 왜 이럴까, 내가 뭘 못하고 있는 건가 하고 잔뜩 긴장했는데 강사님께서 이 자리에 온 것부터가 좋은 엄마이고 성장 의지가 있는 사람이라고 스스로에게 박수 쳐주라고 해서 순간 울컥했어요." 나는 그 분의 손을 잡아 토닥거렸다. 그분 덕분에 내가 하는 일로 나의 존재에 기뻐할 수 있어서 감사하다.

올빼미형 인간인 나는 아침에 일어나는 것이 무척 힘들었지만 2022년부터 미라클모닝을 시작했다. 아침 5시 40분에 울리는 알람소리를 못 들은 척 하고 더 자고 싶은 날들도 많았지만 1년의 아침 30분을 모아

보니 11권의 책을 읽을 수 있었다. 그래서 지금도 꾸준히 미라클모닝을 실천하며 성장하는 중이다.

이동 횟수도 많아지고 강의 장소도 전국으로 확대되어 2년 전부터는 남편이 캠핑카를 사서 매니저 역할도 해주며 강의 여행을 다니고 있다. 매일 아침 주문처럼 되뇌던 '오늘도 최고의 것을 받아들이고 최선의 선택을 하자!'했던 나의 자성 예언이 현실이 된 것에 날마다 감사한다.

햇살도 바람도 모두 적당한 오늘은 내가 나고 자란 김포에서 강의를 하게 되어 더 뜻깊은 날이다. 강의를 마치고는 엄마가 계신 봉안당으로 찾아가 환영 인사로 받은 꽃다발을 엄마 앞에 놓아드리며 인사했다.

'엄마 딸이 오늘은 더 멋지지? 다 엄마 덕분이야.' 마침 불어오는 바람은 나를 대견해 하는 엄마의 대답 같았다.

04_

한계는 없다

김지혜

'가족을 위한 삶에서 벗어나 나를 위한 삶을 살고 싶어. 내가 할 수 있는 일이 무엇일까?'질문에 대한 답을 찾아다니며 몸부림쳤던 지난날이 떠오른다.

2033년 12월 31일. 엄마들의 새로운 시작을 돕는 동기부여가로 살겠다는 나의 상상이 현실이 되었다. 안개 속에 가려져 앞이 보이지 않는 기나긴 터널 같았던 날들을 잘 견뎌낸 나를 칭찬해 주고 싶다.

엄마이기 이전의 온전한 나로 돌아가 꿈과 재능을 펼치며 살아가고 싶어 하는 이들에게 가족으로부터 자립하여 행복을 찾을 수 있도록 만들겠다는 나의 사명을 실현시킨 것이다.

스튜어디스가 되어 세계를 여행하고 싶었던 소녀 시절의 꿈은 전 세계 엄마들을 만나 희망을 전하는 강사가 되어 이루어졌다. 아무것도 할 수 없다고 자책했던 나는 책을 통해 많은 경험을 가진 이들에게 배우고, 그 지식들을 적용해가며 가랑비에 옷 젖듯이 성장해왔다.

나의 변화와 성공을 축하해주듯 어젯밤 하늘에서는 함박눈이 펑펑 내

렸다. 온통 눈으로 뒤덮인 세상은 새하얀 옷을 입었다. 겨울왕국 속 안나가 된 듯 "let it go, let it go."를 흥얼거렸다.

매년 뉴스를 통해 보았던 타임스퀘어 광장의 새해맞이. 이번에는 타임스퀘어에서 새해를 맞기 위해 가족들과 뉴욕으로 간다. 항상 가던 집 앞의 센트럴파크 대신 뉴욕 센트럴파크를 걸어야지.

한 해 동안 수고한 나, 내년에 더 성장할 나에게 와인색 원피스와 베이지색 구두를 선물했다. 이 옷을 입고 뉴욕 시내를 활보할거다.

나를 믿지 못하고 스스로 한계를 정해버렸던 나는 이제 없다.

내가 누구인지, 내가 좋아하고 하고 싶은 일이 무엇인지를 찾고 그 일이 사명이 될 수 있도록 이끌어 주신 하나님 감사합니다. 항상 옆에서 응원하고 지지해주는 남편과 두 아이에게 고맙다는 인사를 전한다.

05_

잘 부탁해

손경민

아무리 맛있는 커피도 직접 냄새를 맡아보고, 마셔보기 전에는 그 진가를 알지 못한다. 사람도 마찬가지라고 생각한다. 직접 만나 이야기를 나누며 그 사람의 행동, 말투, 에너지 등을 느껴봐야 한다.

나란 사람은 꼭 그래야만 상대방에게 마음을 열 수 있는 사람인 줄 알았다.

'온라인 세상에 맞는 유전자가 따로 있을까?'라는 생각을 한 적이 있다. 오프라인에 정형화된 나는 어떤 느낌을 주지 못하는 온라인 세상이 그저 낯설고 힘겹게 느껴졌다. 이랬던 내가 온라인 세상에서 많은 사람과 연결되어 있다니 꿈만 같다.

나의 진심의 크기가 커진 덕분일까? 컴퓨터 화면을 뚫고 시선과 시선을 하나하나 연결해본다.

2030년 3월 10일, 전국에 있는 수백 명의 청소년이 온라인으로 접속했다. 다른 나라 청소년들도 접속하겠다고 연락이 많이 왔지만 거절했다. 일단 내 새끼들에게 집중하는 것이 중요했다.

이 학교 저 학교 돌면서 수업을 열심히 하던 시절, 유독 외톨이 같은 친구들에게 눈이 많이 갔다. 욕을 달고 사는 아이, 반항의 눈빛이 가득한 아이, 따돌림 당하는 아이 등 혹여나 그런 아이들에 대해 불만을 표시하는 어른들이나 아이들을 보면 가슴이 두근거리고 며칠을 앓았다. 처음에는 그 이유를 알 수 없었다. 내가 무슨 대단한 성인군자라고…. 시간이 많이 흐르고서야 깨달았다. 그 아이들의 모습은 과거의 나의 모습이었다는 것을.

크리스마스 선물로 아빠가 손에 쥐여 준 곰 인형을 안고 있던 나는 엄마가 아빠에게 맞는 모습을 보면서 분노를 키워왔다. 사람을 미워하는 것에는 이유가 없다는 것을 알게 해 준 친구들에 대한 분노 등 오래전부터 쌓여있던 나의 분노는 어느덧 슬픔이 되어 있었다.

슬픔이 고개를 드는 날에 나는 맥주 한잔을 앞에 두고 나를 위해 열심히 울었다.

울다가 깨달았다.

어쩌면 이 아픔이 내가 가장 잘하는 것이 될 수도 있다는 생각이 들었다. 누구보다 아이들의 아픔을 이해해 줄 수 있는 사람, 행동 이면에 꽁꽁 감춰진 진심을 들여다봐 줄 수 있는 사람이라는 걸 말이다.

그래서 나는 하브루타, 미덕, 명상, 회복적 생활교육 등 내면의 진심과 닿을 수 있는 것들에 대해 열심히 공부했다. 나는 이렇게 늙어가고 있다.

고개를 돌려 창문 너머 파란 바다를 바라본다.

진심은 바다 같다. 마르지도 넘치지도 않는다. 유유히 흘러 여기까지 왔다. 눈부신 햇살이 반짝인다. 밤하늘에 있던 별들이 바다에 놀러 온 것 같다.

어찌 보면 좀 촌스러운 까만색 가죽 의자에 앉아 투박하다 못해 무식해 보이는 넓은 책상 위 노트북 화면에 방금 보았던 별들이 보인다.

"선생님 덕분에 스스로 묻고 있습니다. 어떻게 살아야 하는지를 말이에요."

아이들이 나 때문에 알게 되었다는 말보다 나 덕분에 스스로 생각하게 되었다고 말해줄 때, 가장 기쁘다.

우리의 본성은 나의 행복만을 추구하지 않는다. 각자의 고유성을 찾아가는 여정 속에 분명 함께하려는 본성이 움직일 것이다. 중요하게 여기는 가치 하나를 향해 나아가는 자유와 너그러움을 스스로에게 줄 수 있는 사람이 되길 기대한다. 어떤 모습이든 응원하리라, 다짐한다.

내가 알고 있는 것, 내가 마음이 동하여 느끼는 것은 나의 답일 뿐이다. 그것을 상대방에게 강요하고 있지 않나 나는 늘 반문한다. 회색 스웨터가 검정색 의자와 잘 어울린다고 생각하며 천천히 입을 연다.

"나라는 사람에 대해 늘 궁금해 하던 내가 고맙다.

여기까지 데리고 오기 여간 힘들었던 것이 아니다.

앞으로의 여정도 쉽지 않을 것이다.

잘 부탁해."

그해 5월

전숙향

수치심과 자책감을 이겨내고 2023년 하반기까지 나의 버킷 리스트 목록 중 첫 번째인 개인 저서 출간을 이루었다. 드디어 작가의 반열에 오르게 되었다. 그리고 해마다 한 권씩 새로운 저서가 나오면서 독자들에게 잔잔한 반향을 불러일으키기 시작했다.

"아, 내가 진짜 베스트셀러 작가가 되는 건 아닐까?" 중얼거리며 잠시 어깨를 으쓱해 본다. '나이는 숫자에 불과하다.'는 말을 증명이라도 하듯 요즘 더 활기차고 건강해졌다. 3년 후엔 10명의 강사님과 20개국을 도는 세계 콘퍼런스에 참여하기로 계획되어 있어 생각만 해도 가슴이 벅차 온다.

2025년 5월 1일, 도서관으로 향하는 나의 발걸음은 새털처럼 가볍다.

산에서 불어오는 아카시아의 싱그러운 향기가 온몸을 휘감아 도는 듯하다. 요사이 즐겨 입는 스커트 사이로 봄바람이 살랑살랑 다리를 간지럽힌다. 계단을 올라 큰 유리문을 밀고 들어가는 순간 "어머, 전 작가님 어서 오세요!" 맑고 쾌활한 목소리가 나를 반겨준다. 지난주에 통화했던 도서관 관장님이시다. 세 번째 출간한 저서가 베스트셀러가 되어 여기저기서 강의 요청이 들어오고 있던 차에 집 가까운 도서관에서 '베스트셀러 작가와의 만남'을 주선하여 주셨다. 책을 정말 좋아하고 글쓰기에 관심이 많은 독자와의 진지한 만남이기에 만사를 제치고 달려왔다. 재능기부의 시간이지만, 마음 문을 열고 속 깊은 대화도 나누며, 주저하는 글쓰기를 시작할 수 있는 동기가 되기를 바란다. 그래서 상처 속에 파묻혀있던 자신의 삶이 글쓰기를 통하여 진주보다 소중하고 귀한 삶으로 재해석되는 놀라움을 맛보기를 간절히 소망해 본다.

아쉬움이 많은 가운데 뜻깊은 만남을 마치고 내려오는 계단 위로 오후의 햇살이 하얗게 쏟아지고 있었다. 눈이 부셔 올려다본 5월의 하늘은 높고 푸르다.

오늘날 내가 베스트셀러 작가로 인정받을 수 있었던 힘은 그동안 꾸준하게 해오고 있던 필사와 독서 덕분이었다. 글쓰기의 백지상태였던 나 자신을 인정하고 깊이 성찰하는 시간이 필요했었다. 주저하는 마음을 이겨내고 나의 삶을 솔직하게 드러낼 때 선배 작가들을 신뢰하며 함께할 수 있었다. 그 모든 과정이 지금 이 자리에 나를 데려다준 것 같다. 때마다 일취월장하고 있다는 칭찬을 아낌없이 퍼부어 주시는 백미정 작가를 만날 수 있었던 것은 하나님의 은혜다. 작가님의 환한 미소가 보고 싶어진다. 이번 주말에는 개척하신 교회의 비전센터로 찾아가야겠다. 깜짝 놀랄 모습을 생각만 해도 입가에 미소가 지어지고 가슴이 설렌다.

패밀리 코치

박주란

"과연 이렇게 부족한 내가 할 수 있을까?"

나를 무겁게 짓눌렀던 무기력과 자기 불신을 이겨내고 나는 지금 여기에 있다. 가슴 벅찬 환희로 나는 지금 이곳에 있다. 2030년 12월 22일까지 가정의 회복을 돕는 복합문화공간을 짓겠다던 나의 꿈을 이루었다.

300평 규모의 이 복합문화공간 안에서 많은 사람을 살리고, 보듬을 수 있는 패밀리코치로서의 나의 사명이 실현되었다. 이 공간 속 작은 도서관에서는 그림책과 감사 일기를 통해 마음이 아픈 아이들과 그 가정이 회복될 것이다. 또 다른 공간에서는 사회로 홀로서기 해야 하는 자립 준비 청소년과 선교사들이 만나 새로운 가정을 만들어 따뜻한 공간을 이룰 것이다.

이것을 위해 끊임없이 그림책을 통한 치유자로서의 훈련과정을 이어왔다. 그리고 감사 일기를 통해 삶의 방향 설정을 감사로 이어질 수 있는 초석을 다져왔다. 꾸준히 자립 준비 청소년과 선교사들에 대한 관심도 놓지 않았다. 모두가 한 공간 안에서 어우러지고 보듬어 질 수 있는 우리 자신이다.

강하게 내리쬐는 햇빛 아래, 하얀 눈이 흩날리는 오늘이다! 내가 가장 좋아하는 날씨라 마냥 행복하다.

드디어 내일이면 복합문화공간인 작은 도서관 완공식이다. 상상조차도 무모해 보였던 이 도서관 건립이 드디어 내일이면 그 실체가 드러난다. 짙은 남색 자켓 위에 어떤 스카프로 멋을 낼지, 청바지위에는 어떤 구두가 어울릴지 고민하는 이 밤이 벅찬 마음으로 꿈만 같다.

“작은 도서관인데 작지 않네요?”

사명의 크기만큼이나 작지 않은 이 작은 도서관은 세상의 작은 자를 위한 공간이다.

이곳은 마음이 아픈 아이와 그 부모, 가야할 곳을 잃은 사람들, 따뜻한 품이 그리운 청소년들, 지쳐 쉼이 필요한 선교사들의 편안한 쉼터이자 그들의 성장을 돕는 복합문화공간이다.

각자의 삶과 사연이 있지만, 이렇게 함께 모여 하나의 공동체를 이루고 서로가 서로를 돕는 이웃이 되었다.

이 일을 이루게 하기 위해 스스로를 믿지 못해 무기력해 있던 나를 일으키시고, 나를 끝까지 포기하지 않으신 나의 하나님. 세상에 힘차게 한 발 한 발 나아가도록 도우신 나의 주님께 감사드린다.

꽃밭에서

안영선

'내가 할 수 있을까? 부족한 내가 해낼 수 있을까?'

끝도 없이 작아지는 마음에 용기를 후후, 불어 넣으며 지금 여기까지 왔다.

2030년 5월 1일 봄 햇살에 기대어 첫 개인전을 열었다. 지금까지 나를 살린 말씀을 묵상하며 쓴 작품들로 준비했다. 첫 열매를 하느님께 감사드리며 봉헌할 수 있어서 더욱 행복한 개인전이었다.

마음을 매만지는 글과 글씨를 사람들에게 소개하고 나누었다. 표현의 어려움을 겪는 이들의 관계가 회복되는 모습 속에서 나의 쓸모에 감사했다. 지금은 나와 같은 길을 걷고자 하는 이들과 함께 작품 전시를 준비 중이다.

우연한 기회에 캘리그라피를 접했다. 책을 좋아했던 터라, 읽으며 만나는 문장들을 붓으로 쓰는 즐거움에 푹 빠졌다. 이 즐거움을 나누고 싶어 제대로 배우기 시작했다.

배움은 즐거웠지만 내 것으로 창조하기까지 오랜 시간이 걸렸다. 시계의 초침 소리만 들리는 더디고 지루한 적막함을 견뎌야 했다. 언뜻 보기에 단조로운 글자들을 나의 의도에 맞게 쓴다. 반복하는 과정에서 우연의 획을 발견하는 호사를 누리기도 했다. 선의 의미를 찾아가는 애씀의 시간을 차곡차곡 쌓아갔다. 글을 쓰고 그림을 그리는 누적의 시간이 많아질수록 마음에도 길이 나기 시작했다. 작가들이 자신의 생각을 적절한 단어로 표현할 수 있을 때 유레카를 외치듯 쓰고자 하는 글과 닮아있는 선을 그었을 때, 환희 그 자체였다.

노력의 결과들이 쌓여가면서 나의 글과 글씨를 보며 마음을 들여다보고자 하는 사람들이 생겼다. 소중한 동지들과의 아름다운 동행을 이어가고 있다.

노란 수선화와 튤립이 길을 내어 준 꽃밭에서 한참을 앉아있었다.

"여보, 여기 있었어?"

"네. 무슨 일 있어요?"

"지난 달 당신 개인전에서 작품을 보았는데 인상 깊었다면서 인터뷰할 수 있냐고 기자분이 전화 왔었어."

"좋아요. 제가 메모 보고 전화할게요."

"그나저나 연보라 앞치마를 입어서인지 당신 제비꽃 같아. 그대로 있어 봐. 사진 찍어줄게!"

자세를 다시 고칠 틈도 없이 그는 벌써 사진기에 제비꽃을 담았다.

'여전히 꽃으로 봐주는 당신이 있어 고마워요.'

산의 능선을 닮은 기와로 지어진 한옥의 공간에서 글 쓰는 상상을 입버릇처럼 이야기했었다.

귀 여겨 들어준 남편은 '소화 꽃밭'이라는 복합 문화 공간을 나에게 선물해 주었다.

기지개를 켤 수 있도록 지지와 응원을 해준 남편과 나의 작품에 공감하며 배움을 선택해 준 동지들이 있었기에 캘리 작가 소화가 존재하고 있다. 나의 동지들이 삶의 자리 곳곳에서 글 꽃의 삶을 활짝 피우길 소망한다. 아픈 이들이 마음 안에 담겨있는 감정들을 꺼내어 자신의 언어로 쓰고 그릴 수 있도록 도울 수 있었음이 감사하다.

햇살과 바람이 드나들 수 있도록 빗장을 열어 준 그들의 용기에서 나의 시작을 마주하기도 한다. 요즘은 사랑이 담긴 공간에서 남편의 속 깊은 언어를 매만지며 작품을 하고 있다. 희끗한 백발 사이로 젊은 날의 그의 모습을 떠올리는 설렘은 소소한 나의 행복이다.

소화 꽃밭에서 때론 애정으로 때론 서툼으로 덜어내고 채울 수 있음이 얼마나 감사한가!

이 모든 과정을 기록할 수 있음이 감사하다.

09_

마음이 자라고

김미경

두려움을 극복하고 2027년 9월, 특수교사이자 조력자로 활동하고 있다. 도움이 필요한 한국 가족들과 전문가들을 연결하고, 장애가족을 위한 상담, 교육, 홍보에 동참하고 있다.

5년 전, 나는 아이 셋을 키우면서 대학을 다시 들어가 특수교사 과정을 이수했다. 동시에 여러 단체에서 주관하는 교육 프로그램에 가입해서 식견을 넓히고, 자폐아를 위한 모임에서 일했다. 많은 선배 부모님들과 전문가들의 도움을 받으며 그들의 열린 마음, 긍정성, 인간에 대한 사랑과 헌신을 배웠다. 아이의 장애, 나의 부족함, 벽처럼 견고한 현실에 압도되어 쪼그라져 있던 마음이 점점 펴지고 다른 아이들과 그 가족, 헌신하는 전문가들이 보이기 시작했다. 그 분들을 통해 사람은 각각 독립된 존재로 살 권리를 가지고 있고, 그렇게 살도록 돕는 것이 당연하다는 것을 마음 깊이 받아들이게 되었다.

여기 미국 알라바마에서는 12월에도 장미를 볼 수 있다. 간편한 운동복을 입고 상쾌한 바람을 맞으며 공항으로 출발한다. 워싱턴에서 있는 컨퍼런스에 참석하기 위해서다.

다시금 아무 대가도 바라지 않고 정보와 경험, 마음을 나누어 주신 많은 분들이 떠오른다. 그 분들 덕분에 내 소원이나 능력과는 상관없이 이 길을 걸을 수 있었다. 그리고 나에게 이 길을 선택할 수밖에 없는 강한 동기가 되었던 내 딸, 너무나 사랑하지만, 또 제대로 사랑해 주지 못한 내 딸, 때로는 무거운 짐처럼 느껴지기도 하지만, 그러나 역시 세상에 하나 밖에 없는 귀한 보물인 내 딸에게 감사한다.

"나보다 네가 더 힘들었다는 거 알아. 지금까지 잘 살아왔던 것처럼, 앞으로도 우리 함께 잘 살아가자." 마지막으로 혼자라고 생각할 때 먼저 찾아와 주시고, 절망감에 눌려 있던 나에게 좋은 사람들, 환경, 영감을 주시고 길을 열어 주신 하나님 아버지께 감사드린다.

10_

고마움은 기적의 씨앗

최덕분

'내가 가는 이 길이 맞는 걸까?'

'꿈을 향해 가다, 멈춤 하면 어떡하지?'

불안함과 두려움을 이겨내고, 여기까지 오느라 애썼다.

나에게 있어 '고마움'이란 삶의 변화를 이끄는 놀라운 '기적의 씨앗'이었다.

2025년 12월 31일까지 '고마워 컴퍼니'를 국내와 해외 지사를 포함해 천 개의 지점을 만들어, 감사일기 강사를 파견하는 꿈을 이루었다.

"대표님 축하해요. 꿈꾸신 대로 드디어 천 번째 지점이 탄생 되었군요. 축하드려요."

"여보, 축하해. 여기까지 오느라 고생했어."

"엄마, 정말 멋져요. 축하해요."

사랑하는 가족들에게 축하의 말을 듣고 나니, 갑자기 두 눈에서 뜨거운 눈물이 흘러내리기 시작했다. 늘 따뜻한 시선으로 바라보며 기다려 준 남편에게 "여보, 당신은 제 삶에서 가장 멋진 멘토였어요." 존경의 마음을 담아 전하고 싶다.

'고마워' 말 한마디로 삶에 더 고마워하는 사람들의 변화가 점차 늘어나고 있다. 놀라운 기적이다. 함께 하는 감사 일기 강사들의 경제적 자립에 도움 주는 사명도 이루었다.

해외에 있는 천 개의 지사에서 '더 고마워 컨퍼런스'를 남편과 공동 진행하며 느끼는 건,

역시 '고마워' 말 한마디는 삶의 변화를 이끄는 기적의 씨앗이었다.

소중한 일을 지속적으로 해내기 위해서는 부부의 건강관리를 잘해야겠다.

매일 걷기와 독서, 글쓰기 루틴을 실행하고 '고마워 디자이너의 고마워 편지'를 매일 아침에 지사장들에게 공유하고 있다. 하루의 삶을 감사 일기로 기록하고 피드백하며 모아둔 삶의 경험이 많은 사람에게 동기부여가 되었다. '언어로 나를 체인지 하라' 주제로 강연 준비하는 오늘, 나를 만나는 모든 이들이 삶의 변화, 행복한 가정을 만들 수 있도록 오늘도 기도해본다.

11_

새싹에서 나무로

홍효정

'아, 떨려.'

2027년 4월 20일! 드디어 나는 꿈을 이루었다. 여행했던 곳에서 직접 촬영한 사진과 취미로 그렸던 오일파스텔 그림으로 에세이 책을 출간했고 내 책은 베스트셀러가 되었다.

내가 좋아하는 일과 취미여서 행복하고 즐거운 마음으로 시작했다. 책이라는 결과물은 아름다운 자연을 사람들에게 나누어 주는 기쁨과 설렘의 메시지가 되었다.

장거리 여행은 다리근력과 기초체력이 좋아야 할 수 있다. 그래서 걷기 운동을 주 3회 30분을 시작으로, 하루에 5분씩 늘리면서 달리기도 했다. 이젠 매일 달리기하는 것이 일상이 되었다.

내 마음을 글로 정확하게 표현하고 싶어 단어 뜻을 한글사전에서 찾아 필사한 것이 큰 도움이 되었다. 책을 통해 판매된 수익금은 아이들의 배움을 위한 곳에 쓰일 수 있도록 기부했다. 아이들의 꿈과 미래를 위해 한 일이었는데 내겐 가슴 벅찬 기쁜 선물이 되었다.

오늘은 파란 하늘에 흰 구름이 달콤한 솜사탕 같은 봄 날씨다. 화창한 오늘과 어울리는 노란색 가디건을 입고 외출했다. 며칠 동안 내린 비가 그친 후 나무마다 연둣빛 어린 잎사귀가 올라오고 있었다. 나는 어린 연둣빛 새싹을 만져 볼 수 있는 이 계절을 좋아하고 늘 기다린다. 갓난 아기의 여린 피부처럼 부드러운 새싹의 촉감은 나의 발걸음을 오랫동안 붙잡아 두었다.

'아가들아. 어서 어서 자라렴.' 새싹을 향해 이야기하면서 내 몸을 감싸는 봄날의 포근함을 느낀다.

어린 연둣빛은 곧 진한 초록색 잎으로 변할 것이다. 지금을 놓치기 싫어 연신 카메라 셔터를 눌렀다. 나만 보기 아까운 모습이라 남편을 불렀다.

"자기야, 이것 좀 봐봐. 어린 새싹들 빛깔이 참 예쁘지? 잘 자라 주면 우리가 또 초록으로 진해지는 잎을 보게 되는 거잖아. 너무 멋져."

남편이 나에게 말했다.

"그렇네. 당신도 작은 새싹에서 초록으로 짙어지는 멋진 나무가 되어 가고 있잖아."

어디선가 불어오는 봄바람에 라일락 꽃향기가 코끝을 통해 온몸으로 들어왔다.

라일락 향기를 놓치고 싶지 않아 두 눈을 스르르 감았다. 마치 내가 향기가 되어 바람을 타고 나의 마음을 누군가에게 전해 주는 것처럼 말이다.

내가 좋아하는 일로 행복을 느낄 수 있다면,

나의 행복의 향기가 다른 사람에게 전달되어 좋은 기억을 선물해 줄 수 있다면 얼마나 감사한 일이겠는가!

내 옆에서 항상 나를 지지해주고 응원해 주는 남편에게 늘 고맙다. 세상에서 선한 영향력으로 살아가는 삶이 무엇일까 고민하며 늘 깨어있는 삶으로 살게 하신 하나님께 감사드린다.

가슴으로 가르친다

김영주

"왜?"

"무엇을 위해?"

나에게 끊임없이 질문을 던지며 여기까지 왔다. 2027년 8월, 해외 대학의 한국어학과 교수가 되고 싶어 하던 나의 꿈이 현실이 되었다.

단순히 언어를 가르치는 것이 아닌, 마음을 나누는 교사가 되어 나의 수업에 온 학생들에게 따뜻함과 사랑을 나누어 주고자 한 사명이 결실을 이루게 된 것이다.

다양한 교수법을 시도하고 분석하여 학습자의 학습 과정을 연구했으며 온라인 수업을 위한 동영상 강의를 제작했다. 또한 학습자의 요구를 파악하여 필요한 강의를 다양하게 제공했다.

학기가 끝날 때마다 학생들이 보내주는 피드백과 감사 편지들은 나를 이끌어 주는 원동력이 되었다. 학기가 지날수록 학생들의 실력이 느는 걸 체감하면서 '내가 선택한 길이 맞구나. 내가 선택한 길을 잘 가고 있구나.' 스스로를 다독였다.

"교수님, 수업에서 배운 것을 실생활에서 그대로 말하고 있어요. 저에게 놀라고 있습니다."

"변화하는 제 모습을 보면서 용기가 생겼어요." 매번 듣는 말이지만 매번 행복하다. 한국인을 사귀는 학생들은 꼭 나에게 소개를 해주며 자신이 가장 좋아하는 선생님이라 소개했다. 이보다 더 큰 선물이 있을까?

푸르른 하늘과 눈부신 햇살, 코끝을 스치는 차가운 공기가 여름의 끝을 말해준다.

영롱한 초록의 허리 치마와 노란빛이 도는 저고리가 오늘 날씨와 잘 어울린다. 오늘을 상상하며 특별히 준비해 오던 한복이다.

"이 한복, 괜찮아요?"

"예뻐. 그리고 걱정하지 마. 잘할 거야!" 오리엔테이션을 앞두고 긴장한 나를 위해 남편이 동행해주었다. 교수가 된 날 나보다 더 기뻐하던 남편이다.

천 석의 강의장이 가득 찼다. 웅성웅성하는 소리가 나를 설레게 했다. 전공생뿐만 아니라 청강생들도 참석하여 한국어에 관한 관심과 사랑이 넘치는 것을 확인했다. 강의가 끝난 후 질의응답 시간에도 많은 질문이 쏟아졌고 그 질문들은 단순한 질문의 수준을 넘어 문화, 역사, 정치, 사회 등 다양한 한국의 모습에 대한 수준 높은 질문들이었다. 내가 더 연구하고 성장할 부분들을 준비해야겠다고 다짐했다.

나의 꿈을 위해 지원을 아끼지 않았던 남편과 낯선 땅에 와서 어렵고 힘든 시간을 잘 이겨내 준 호연이에게 고마움이 크다. 그리고 항상 나의 길을 인도해주시는 하나님께 큰 감사를 드린다.

엄마 사명자

김연정

2030년 1월의 어느 날, 세계 여러 나라를 다니며 아이들에게 사랑과 희망을 전하고 싶던 나의 꿈을 이루었다. 많은 사람을 만나며 돕고 연합하며 사랑이 모든 것을 가능하게 한다는 것을 알게 되었다.

매달, 세계 여러 아이들에게 양식을 지원하며 다양한 교육 프로그램을 개발하고 함께 나누고 있다. 각국에서 모임 선교사님들과 마음을 합하여 실천하는 일에 가족들도 함께여서 참 감사하다.

봄을 앞둔 어느 늦겨울의 저녁, 남미의 아이들을 만나러 가기 전날마다 나는 설렘과 환희를 감출 수가 없다. 미리 꺼내놓은 푸른 셔츠가 유난히도 반짝인다. 그보다 더 반짝이는, 세상 어디에서도 받을 수 없는 무조건적인 사랑을 부어주는 아이들을 알기에 나는 올해도 멈출 수가 없다.

넘치게 받은 사랑을 나누는 것이 나의 사명이요 기쁨임을 알기에 알차게 준비한 가방과 짐들을 돌아본다.

"그렇게도 설레?" 늘 나와 동행하는 딸 예담이가 묻는다. 큰 딸 예담이는 나의 든든한 지원군이자 세계 여러 나라의 아이들과 연합할 수 있게 만들어준 고마운 존재이다.

어떻게 해서라도 벗어나고 싶었던 '나의 엄마'라는 둥지가 감사요 행복인 줄 몰랐던 나에게 넘치는 사랑을 부어주신 부모님의 마음을 엄마가 되어보니 알 것 같다. 보살핌과 사랑의 힘이 얼마나 크게 나눔의 원동력이 되었는지 모른다. 수화기 넘어 들려오는 엄마의 목소리는 여전히 씩씩하다.

"그렇게도 설레니? 짐은 다 쌌어?" 내 대답은 한결같다.

"아이들이 기쁘면 나도 기뻐."

엄마와 같은 마음으로 세계 아이들에게 사랑을 전할 수 있는 내 삶을 허락해 주신 하나님께 감사드린다.

나 이제 하나도 안 추워

박건희

내가 노력한 것에 비해 빨리 빛을 발하지 못하는 날들과 함께하던 무기력을 이겨내고 바쁘게 활동하는 날들을 맞이하고 있다.

2026년 1월 1일, 강사로 TV에 출연하는 신화를 이루었다. 그래서 수많은 사람 중 단 한 사람이라도 나처럼 멀리 돌아가는 길을 선택하지 않길, 종착지로 빨리 가는 인생의 지름길을 현명하게 선택할 수 있도록 나침반과 같은 역할을 하고 있는 중이다.

맹자 왈, 하늘이 장차 그 사람에게 큰일을 맡기려고 하면, 반드시 먼저 그 마음과 뜻을 괴롭게 하고, 근육과 뼈를 깎는 고통을 주고, 하는 일마다 어지럽게 한다고 했다. 열심히 공부만 하면 자연스레 성공이 오는 줄 알았다. 아직 준비되지 않은 겁 많은 나를 드러내고 표현해야 하는 성장통에 쓰렸다.

그래서 나의 결에 맞는 공부를 한 순간도 놓지 않고 열심히 하면서, 내 이름으로 낸 책도 발간하고, SNS 및 각종 매체에 나를 알리기 시작했다. 마을교사를 하며 남녀노소 다양한 사람들과 끊임없는 소통을 했던 것이 큰 힘이 되었다.

하늘은 맑고 화창한데, 추운 겨울이다.

3년 전 겨울, 학교로 강의를 가야 되는데 코트가 너무 얇아서 처음으로 검은 정장패딩을 사 입었던 날이 문득 생각난다. 지금은 얇고 하얀 캐시미어 코트를 입었는데도 춥지 않다.

"전에는 패딩을 입어도 뼈가 시리게 춥다더니, 이제는 그렇게 입어도 안 추워?"

결혼 후 처음으로 검은 패딩을 사줬던 신랑이 기분 좋은 정곡을 찌른다.

TV 출연한다고 주말에 산 하얀색 캐시미어 코트가 오늘따라 유난히 하얀 우윳 빛깔을 발하며 우아해 보인다. TV 출연 날은 신랑이 직접 운전을 해주겠다며 특별히 연차를 냈다. 처음 샀던 저렴한 정장 패딩도, 이번에 골라준 코트도, 그리고 연차를 내준 것도 지금의 내 성공을 위해 조용히 뒷바라지한 그의 사랑의 표현이었다. 가슴이 찡하다. 그리고 웃으며 남편에게 말했다.

"오빠, 나 이제 하나도 안 추워!"

오늘이다

윤미경

“이 정도면 돼.”라는 나만의 틀과 한계를 깨고, 고독과 외로움의 터널을 지나 오늘날 여기까지 왔다.

2026년 1월 1일, 햇살 코칭 연구소를 설립했다. 그리고 2028년 1월 1일, 놀이치료 교수가 되어 강단에 서는 꿈을 이루었다. 나의 코칭과 강의를 통해 배움과 성장의 가치를 알고 있는 사람들의 삶이 좀 더 윤택해졌음을 몸소 느끼고 있다. 젊은 제자들이 현장에서 마음껏 역량을 발휘할 수 있도록 내 사명을 실현시켰다.

학교, 공공기관의 쏟아지는 강의 요청과 연구소에서 이루어지는 코칭을 해야 하기 때문에 체력과 정서를 잘 관리해야겠다.

일주일에 한 번씩 코칭 질문에 관련된 책을 선정해 공부를 하면서 사람들의 생각과 감정을 나누었다. 서로의 강점과 내면의 힘을 끄집어내는 노력 또한 꾸준히 했다. 21년간의 보드게임 경력으로 한 달에 2번 중·고등학교에서 청소년과 호흡하며 그들의 성장을 도와주었다. 또한 경찰청과 연계된 아이사랑 부모교육을 통해 가족 관계 개선에 힘썼으며, 월 1회 생명의 전화 자원봉사로 사람들의 이야기에 공감하며 내 삶을 나누었다.

하얀 눈이 온 세상을 덮은 오늘, 검은색 롱 패딩에 에트로 문양의 화사한 스카프를 했지만, 올겨울 들어 최고의 한파라 바람이 차갑다.

"코치님이라 불러야 해? 교수님이라고 불러야 해?" 남편이 놀리듯이 말하는데, 기분이 좋다. 늦은 나이에 박사학위에 도전한 내게 응원과 지지를 아끼지 않았던 나의 동반자, 장거리 강의가 있으면 휴가를 내어 드라이브 데이트를 자청하는 남편은 배려심이 좋다.

지금의 나를 있게 한 우리 가족 그리고 앞으로의 삶 또한 섬세하게 인도해 주실 하나님께 깊은 감사를 드리게 되는 오늘이다.

나사랑 프로젝트

진수민

스스로를 옥죄는 게으른 완벽주의와 자괴감을 이겨냈다. 나는 누구보다 열렬히 나를 사랑한다.

2023년, 나 자신을 사랑하는 증거이자 성장을 담은 첫 개인 저서는 내 삶의 터닝 포인트가 되었다. 글을 쓰면서 수없이 눈물을 흘리고 퇴고를 반복했지만, 그 과정에서 느꼈던 성찰을 통해 나는 더 단단해졌고 인생의 기쁨도 커졌다.

몇 년이 지난 지금도 내 책은 꾸준히 사랑을 받고 있고 주기별로 '나사랑 프로젝트' 강연을 한다. 오늘도 독자에게 팬레터를 받았다. 내 책을 통해 좀 더 자신을 사랑할 준비가 되었다고 했다. '나사랑 프로젝트'에 합류하고 싶다고 했다. 나의 성장이 누군가에게 도움이 되고 있다니 기쁨이 또 플러스 된다.

내면 아이가 충만해질 수 있는 방법을 찾기 위해 연구할 사람들이 주변에 많다. 나의 성찰과 성장은 끝이 없다. '나사랑 프로젝트'는 개인이든 단체든 인생의 기쁨을 누릴 수 있다.

나는 "일단 도전!"을 외치는 연습을 한다. 그렇게 바쁘면서도 어떻게 새로운 일과 아이디어를 창출하느냐고 주변에서 묻는다. 시간에 구애받지 않고 내가 시간을 움직이는 사람이 되기 위해 노력했기 때문이라고 답한다.

50살을 넘은 지금 나는 30대와 같은 건강을 유지하고 있다. 감사와 긍정마인드를 놓지 않기 때문이다. 조금 주름진 내 얼굴과 거칠어진 손이 사랑스럽다. 콤플렉스였던 크고 못생긴 발도 예쁘게만 보인다. 나의 주변 사람들도 밝아졌다. 가끔 올라오는 열등감과 자괴감도 살살 잘 달래어 예전보다 빨리 극복한다. 있는 그대로의 나를 사랑한다.

70대가 되어서도 '나사랑 프로젝트'로 더 좋은 삶, 기쁜 삶을 영위하기 위한 연구와 노력을 멈추지 않을 것이다. 그리고 먼 훗날, 내 시선이 닿는 곳에 따뜻함이 전해지고 몸과 마음이 추운 사람을 도울 수 있는 내 모습을 기대한다. 자연에 감사함을 느끼며 거울 속의 내 얼굴이 누구보다 찬란하고 아름다우리라.

파릇파릇 새싹이 돋는 봄, 동백꽃이 빨갛게 모습을 드러냈다. 그 옆에 선 나는 초록 코트를 입고 있다.

"사진 찍어줄까?" 남편이 말을 건넨다.

"같이 찍자." 내가 말했다. 남편은 햇볕처럼 따스하다. 순간, 멀리 대학을 간 딸아이들과 군대에 간 아들이 생각났다. 많이 그립지만, 생각만 해도 기쁨이 넘치는 존재들이다. 하늘의 구름처럼 변화무쌍한 나를 한결같이 바라봐준, 나를 사랑하는 것이 먼저라는 사명을 준, 나를 나답게 성장시켜준 일등 공신, 내 가족에게 감사하다.

그대들을 사랑합니다.

그루터기

김경아

우물 안 개구리처럼 있는 자리에서 '온 힘만 다하면 모든 것이 잘 될 거야!' 다짐만 하며 살았던 내가 작은 목표들을 실천해 가며 여기까지 열심히 달려왔다. 2027년 12월 31일까지 꿈의 터전 '그루터기' 힐링센터를 건립하겠다던 나의 꿈을 이루었다.

힐링센터에서 소중한 사람들과 함께 그림책으로 놀이와 힐링 교육을 하고, 쉼을 통한 여유의 선물을 나누는 나의 사명을 실현했다. 더 높이 날아가기 위한 몸부림도 중요하겠지만 안전한 비행을 위한 나눔 또한 중요함을 느낀다.

실력을 키워가기 위해 부모교육, 그림책 심리, 성격 유형, 코치, 강사과정까지 공부하고 현장에 적용하기 위해 '실천'에 공을 들였던 지난 시간, 가족과 함께 어려움을 극복하기 위해 매주 열심히 앞만 보고 달려왔다.

눈송이들이 온 세상을 하얗게 덮고 있는 오늘이다. 눈 오던 날 경험했던 옛 추억들이 눈송이와 함께 차곡차곡 쌓여만 간다. 오늘은 눈 내리는 거리를 흰 밍크 털이 달린 패딩을 입고 여기저기 걸어 다녀 보고픈 날이다.

"엄마! 오늘은 만나는 분들에게 찐한 칭찬 한마디 잊지 말고 꼭 해 주세요."

오늘도 유아기 아이들을 만나기 위해 다양한 활동들과 맛있는 디저트를 준비하고 있는 두 딸이 하하 호호 웃다가 나에게 이야기했다.

분주한 아침 시간에 나 혼자 눈 내리는 거리를 산책하는 여유를 가져 살짝 미안했지만 지금 이 순간을 마음껏 즐기련다.

'우리', '같이', '가치'라는 키워드로 나의 인생 후반부를 살게 하신 하나님께 감사드린다. 가족이라는 공동체를 주시고 같은 생각과 비슷한 사명을 가지고 각자의 자리에서 본인의 역할들을 다해주는 '가치' 있는 일을 함께할 수 있음이 축복임을 고백해 본다. 우리 가족이 인생을 살아가며 잠시나마 쉬어가는 '그루터기'가 될 수 있어 감사드린다.

당신의 이야기를 말이야

윤선희

'나는 도대체 뭘까?' 끝없는 질문에서 시작된 글쓰기.

간호사였던 내가 2033년 글, 그림 작가가 되었다. 산티아고 순례 길을 돌며 보았던 멋진 나무들을 그리고, 만났던 사람들의 이야기를 글로 써 베스트셀러 작가가 되었다. 필사를 시작으로 글을 썼고, 이렇게 개인 저서로 결실을 맺게 되었다.

10년 전에 도전하지 않았다면 결코 이룰 수 없는 일이었을 것이다. 필사라는 첫 성취가 나에게 꾸준히 글을 쓸 수 있게 해주었다. 뿐만 아니라, 그림에도 도전하게 되었다. 에니어그램을 꾸준히 공부하며 사람들에 대한 이해가 더 깊어졌고, 길에서 만난 사람들의 사연에 더 깊이 공감하며 이야기로 풀어갈 수 있었다. 성취감으로 시작한 나의 도전들이 지금의 나를 있게 해 주었다.

새싹이 파릇파릇 돋아나는 따뜻한 봄이 왔다. 겨울 동안 잠자고 있던 자연이 하나 둘 깨어나고 있다. 오늘은 유난히 봄볕이 따뜻하다. 가족들과 즐거운 충전의 시간을 보내고 세 번째 산티아고 순례 길을 떠난다. 오랜 설득 끝에 이번에는 남편과 함께하게 되었다. 내가 가장 좋아하는 운동화에 배낭을 메고, 그 안에 펜과 노트, 캔버스를 챙겨본다.

"가서 힘들게 걸을 텐데 그렇게 좋아?"

"그럼! 멋진 풍경을 보고, 또 멋진 사람들을 만나게 될 텐데. 그리고 나를 돌아 볼 수 있는 그 시간이 정말 소중해. 이 좋은 경험을 당신과 함께 할 수 있어서 더 좋네!"

서로 맞지 않을 때도 있었지만 하나님 안에서 하나 된 우리.

남편, 지금까지 함께 해줘서 고마워! 당신 덕분에 내가 좋아하는 걷기, 글쓰기를 계속할 수 있었고 이렇게 나무그림 작가가 될 수 있었어. 지금은 내 글과 그림을 좋아해주는 팬들도 생겨서 행복한 마음을 어떻게 표현해야 할지 모르겠어. 내가 좋아하는 것들로 다른 사람에게 희망과 용기를 줄 수 있어서 정말 뿌듯해!

이번 책에는 당신의 글도 꼭 같이 실어보고 싶어.

지금의 나를 있게 해준 당신의 이야기를 말이야.

나가는 글

글쓰기, 한동안 외면했다.

글로 상처받은 기억 때문에 '글쓰기' 행위 자체가 노역이었다.

그런데 내가 왜, 다시 글을 쓸 수 있었을까.

이끌림과 함께의 힘이었다.

내 핏 속엔 태초부터 글이 흐르고 있었나 보다.

조심스런 나의 기지개가 이제는 누군가의 날개가 되길 바라본다.

- 경수경 -

'내가 무슨 글을 써?'

겸손이었을까, 회피였을까, 현실 직시였을까, 자기 합리화였을까.

여튼 나는 글을 썼다.

결과를 보니, 글을 쓸 수 있을까 없을까 미리 고민했던 시간들이 아깝다.

그 시간에 그냥 글을 썼더라면 싶다.

그래서 난, 앞으로도 글을 쓸 거다.

이렇게 난, 또 성장했다.

- 김경아 -

단순한 호기심으로 참여해서

나의 새로운 면모를 발견하고

생각과 감정이 정리되는 귀한 시간이었다.

함께하신 분들의 마음, 에너지, 열정을 흡수할 수 있었던 시간.

- 김미경 -

모르겠다.

어떻게 내가 글을 쓴다고 덜컥! 손을 들게 되었는지.

내가 믿고 있는 신의 손짓 같았다고 하면 어느 정도 이유가 되겠다.

글 쓰는 순간순간, 내 마음을 의심했고 내 글을 의심했다.

나를 들여다보는 행위, 쉽지 않았다.

그리고 나는 완주했다.

또 한 번, 나를 넘어섰다.

- 김연정 -

글을 쓰는 것은 생명을 탄생시키는 것과 같다.

마음속 이야기들을 꺼내어 글이라는 형태로 만들어 세상에 내보낸다.

그리고 글은 누군가에게 씨앗이 된다.

나의 글이 세상에 나가 누군가에게

씨앗이 될 것을 기대하니 벅차고 설렌다.

- 김영주 -

중심을 잡지 못하고 이쪽저쪽으로 움직이는 오뚝이.

너는 꼭 나를 닮았다.

아는 것 같다가도 모르겠고 아직도 모든 것이 불투명한 나.

연애와 감기는 숨길 수 없다는데, 글 역시 그렇다.

내 마음이 의미 없이 흘러가다가 종이 위에 글이 되어 또 다른 내가 된다.

글을 쓸 때만큼은 모든 것이 명확하다. 그래서 더 신비롭다.

- 김지혜 -

글을 쓰고 난 후 아이들에게 말했다.

"그동안 격려해 줘서 고마워."

"엄마, 또 해내셨네요!" 아이들은 기뻐해 주었다.

이 기쁨을 늘 기억할 수 있도록 글 쓰는 엄마 작가로 남을 것이다.

- 김태은 -

일기 쓰듯 내 이야기를 자유롭게 써 내려 가는 건 자신 있었지만,

같은 주제로 모인 작가님들과 글을 쓴다는 것은 고민과 주저함이 있는 행위였다.

하지만 퇴고하고 보니 함께 글을 쓰는 것 자체가 내 인생에서 승리였고 기적이었다.

공저라는 건 바로 이런 맛일까.

- 박건희 -

희뿌연 유리창이 찬란하게 빛나는 햇빛아래 본래의 모습을 드러내듯,

글을 통해 나의 모든 것이 더욱 명료해졌다.

비전과 사명, 아픔, 삶이 글로 표현되어 생기가 돋고 춤을 춘다.

꾸밈없이 부족함 그대로, 그저 나답게 써내려간 글들이 다시 나를 만나기

위해 찾아오기를 기다리며 설렘과 감사로 반갑게 맞이하련다.

– 박주란 –

'글과 말은 함께 가야 한다.'는 슬로건으로

줌 공간에서 만나 글 쓰고 말하는 공저 모임을 만들었다.

우리의 글과 말은 서로를 토닥여 주었다.

눈물과 웃음으로 표현된 토닥임의 순간들이 글로 부활했다.

책의 들어가는 글 혹은 나가는 글에서 심심찮게 볼 수 있는

'독자의 마음에 가 닿길 바란다.'는 저자들의 바람을 나 또한 가져본다.

– 백미정 –

원래 하얀 세상인 척, 쌓여 있던 눈이 사라진 자리에

질척거리고 미끄러운 흔적이 남았다.

글과 함께 흔적들은 더 또렷해진다.

당당하고 솔직하게 쓴 보잘것없는 내 흔적들이

누군가에게는 큰 용기가 되길 빌어본다.

– 손경민 –

5주간 함께 쓴 글을 다시 열어본다.
쓰지 않았으면 지나쳤을, 지금의 나를 있게 한 순간들을 마음으로 느낄 수 있어서 감사하다. 감사, 글쓰기, 엄마, 삶의 태도 그리고 사명.
흐릿한 선들로 그어져 있던 것들이 글로, 책으로 진하게 다가온다.
종이 위의 기적.
아직 밑바닥에서 진행 중인 꿈이 어떤 기적으로 나를 찾아올지 기대로 설레며 그날이 기다려진다.

- 송지은 -

하마터면 잊힐 뻔 했던
삶의 조각들을 꺼내어 매만질 수 있음에 감사하다.
쓰고 다듬으며 다정해지는 이야기 속에서 꿈틀대는 생명을 느낀다.
희망이라 쓰고, 사랑으로 살아낸다.

- 안영선 -

글쓰기로 또 하나의 도전을 했다.
이 도전을 통해 나에게 렌즈를 줌인하는 시간이었다.
어린 시절, 현재와 미래의 나, 나의 성장에 함께한 소중한 사람들,
나의 기대와 추구하고자 하는 가치를 직면하며 감사와 기쁨,
뿌듯함이 나를 휘감는 소중한 경험의 시간. .
이런 나의 성장을 응원해 본다.

- 윤미경 -

글은 참 신기하다.

웃게 하고 울게 하고, 부끄럼을 느끼게 했다 용기를 주기도 한다.

그러다 결국 결심하게 한다.

나아가자!

올해도 한 발 내디뎌 본다.

- 윤선희 -

손님을 만나러 가는 길,

길목에서 또 다른 나와 마주쳤다.

왠지 모를 연민에 뒤를 자꾸 바라본다.

힘들 때 안아 주지 못해 미안해.

어깨를 토닥토닥 등을 쓰담쓰담.

글쓰기는 그렇게 나를 만나게 해줬다.

- 이성화 -

글쓰기는 나를 알아갈 수 있는 설렘의 시작이었다.

삶 속에서 퍼 올린 보석들을 하나하나 꿰어가고 있는 중이다.

두 번째 공저로, 책 쓰기에 한 발짝 더 다가갈 수 있도록

함께의 힘을 보여준 동행자 작가님들께 감사드린다.

- 전숙향 -

'글을 써 보고 싶다.', '글을 써야지.'라고
생각만 하고 있는 내가 마음에 들지 않을 때쯤
공저에 도전해 볼 기회가 생긴 것에 감사하다.
말한 것은 해내고야 마는 나의 성장을 책 출간과 함께 기다려본다.

- 전은숙 -

수고했어.
이제 열심히 말고
즐기며 살자.
나는 나를 덕질 중이다.
고맙다 나 자신.

- 진수민 -

나에게 글쓰기는 언제나 두려움이었다.
그러나 손가락이 키보드에서 춤을 추는 순간, 알게 되었다.
꽁꽁 숨겨져 있던 존재감이 글로 나타나 따뜻한 사랑이 뿌려졌다.
서툰 대로, 부족한 대로, 있는 모습 그대로,
글쓰기와 피드백, 나눔은 최고의 사랑이자 축복, 그리고 고마움이었다.

- 최덕분 -

글쓰기는 재능 있는 사람들만이 할 수 있는 일이라고 생각했다.

그런데 내가 글을 쓰고 있다.

글을 쓰면서 나를 만났다.

나만의 시간 속에서 나는 나에게

잘했다 애썼다 위로해 주었다.

글이 나의 영혼을 살렸다.

나의 글로 다른 이들도 살리는 글을 쓰고 싶어졌다.

- 홍효정 -

작가소개

경수경

배움| 유아교육 25년차, 상담심리사
나눔| 부모교육(그림책 감정코칭, 엄마감정수업) 100회 이상 진행
사랑| 배움을 나눌수록 빛나게 하는 (배나빛) 사랑 메신저

김경아

한결같음| 유치원교사에서 원장까지 30년, 교회주일학교 교사 30년
기여| 성격 강점 부모교육사, 그림책 심리 지도사, KCA 인증 코치
도전| 공저 책 출간 예정, 그루터기 힐링센터 설립 예정

김미경

도전| 특수교사과정 시작
호기심| 공저
기여| 자폐아를 위한 모임 참여

김연정

열정| 이공대 외래교수, 유아교육 석사
헌신| 두 아이의 엄마
사랑| 어린이집 원감 15년차

김영주

희망| 전) 삼성전자 근무
현) 세계를 무대로 서는 한국어 교원
결단| 교육공학 석사
감사| 한국어 교원 1급

김지혜

배움| 3색 줄 독서코치, 감정 테라피
성장| 개인 저서와 공저로 3권의 책 출간, 독서모임 운영자
나눔| 독서와 글쓰기로 대한민국 엄마들의 꿈을 코치하고 싶은 스몰스텝 엄마코치

김태은

사랑 | 전직 어린이집 교사
열정 | 공저 출간, 개인저서 출간 예정
노력 | 아이 셋 엄마

박건희

진정성 | 브런치 작가
열정 | PTA 심리유형 분석사, 한국 버츄 프로젝트 FT, 비경쟁 독서토론 강사, EBS 꿈의지도 해석강사
확장 | 개인저서 출간예정, 글쓰기 모임(글라쓰) 운영

박주란

창의 | 독서프로그램 기획 및 운영, 감사습관 양식제작, 국내외 전시컨벤션 기획 및 운영
공감 | 그림책 심리코칭, 함께성장 코칭스쿨, 패밀리코치
꿈 | 작은 도서관 운영실무, 그림책 동아리 운영, 함께성장 독서모임 운영

백미정

몰입 | 10권의 개인저서 출간, 공저 모임 진행
창조 | 언어 멘토 스쿨 운영(글쓰기 지도, 책 쓰기 코칭, 작가 강사 과정, 교육 기획)
믿음 | 크리스찬 소그룹 모임 운영

손경민

보람 | 인성, 진로 교육 강사, 캠프 트레이너, 하브루타 강사
성찰 | 독서토론 이끎이, 버츄 FT
평화 | 회복적 생활교육 강사

송지은

사랑 | 러브미 프로젝트 운영
감사 | 2년 5개월간 매일 감사일기 작성, 습관 모임의 행복한 동행
열정 | 멘탈 코치, NLP트레이너, 에니어그램 지도사, 브런치 & 나디오 작가, 원씽브릿지 에디터, 북내레이터

안영선

성실| 방과후 학교 강사, 그림책 공부방 운영
창조| 이야기 캘리그라피 코치
감사| 딸 둘 아들 둘 엄마

윤미경

몰입| 창의사고력 교사, 아동보호 종합센터 전문 상담사, 청소년 진로·인성·학습 코치
도전| 공동저서 출간, 대학원 박사과정, PT로 근력 만들기
즐거움| 라인댄스 배우기, 친구와 스페인 여행하기

윤선희

신뢰| 믿을 수 있는 25년차 간호사
끈기| 프로 배움러(에니어그램, 글쓰기, 그림)
자유| 여행에서 발견하게 된 자유를 쓰는 여행 작가

이성화

도전| 라디오 제작단, 뮤지컬, 유튜버 활동
성실| 월요일이 즐거운 직장생활
열정| 야간대학 공부

전숙향

헌신| 청소년 상담봉사 20년, 황혼육아(손자, 손녀)
꿈 | 두 번째 공저, 개인저서 출간 예정
감사| 글 쓰는 할머니

전은숙

감사| 더성장교육연구소 운영, 청소년 통합교육 강사, 자존감 향상 디자이너
열정| 더성장 독서모임 리더, 청소년 성공습관 코치
몰입| 자존감, 감사, 긍정 언어의 체화

진수민

행복 | 더하기(하브루타), 글라쓰(글쓰기 모임), 책소리(독서토론) 운영

감사 | 삼남매엄마, 18년 학습진로코칭, 공저 2권 출간

창조 | 한줌 독서실, 온라인 꿈 학교 설립 예정

최덕분

인정 | 고마워 디자이너, 고마워 컴퍼니 대표, 관계회복 전문가, 3P 바인더 마스터

이해 | 더 고마워 감사일기 16기 진행, 더 고프로 11기 진행, 사명브랜딩 120명 수료

칭찬 | 고마워 감사일기 강사 양성 예정, 1인 기업가 일대일 컨설팅, 언어로 타인의 성공을 돕는 사명

홍효정

열정 | 방과 후 교사, 독서 지도사, 학습코칭 전문가 2급

감사 | 사진으로 만나는 일상 기록가

도전 | 글쓰기 모임(글라쓰) 운영